略傳

一九一五年六月：夢參老和尚出生於中國黑龍江省開通縣。

一九三一年：在北京房山縣上方山兜率寺，依止慈林老和尚剃度出家，法名爲「覺醒」。但是他認爲自己沒有覺也沒有醒，再加上是作夢的因緣出家，便給自己取名爲「夢參」。

同年在北京拈花寺受比丘戒，戒期圓滿，南下九華山，朝禮地藏菩薩道場，正遇上六十年舉行一次的開啓地藏菩薩肉身塔法會。由於因緣殊勝，爲老和尚爾後弘揚地藏法門種下深遠的影響。

一九三二年：轉赴福建省福州市鼓山湧泉寺參訪，他對湧泉寺當時的一切境界似曾相識，彷彿故地重來。

當時虛雲老和尚於鼓山創辦法界學苑，並請慈舟老法師主講《華嚴經》。

他決定依止慈舟老法師學習《華嚴經》，歷時半年，仍無法契入華嚴義海，遂親自向慈舟老法師請法，之後決定以拜誦〈普賢行願品〉、燃身臂供佛的苦行，開啓智慧。

除依止慈舟老法師，學習《華嚴經》外，更旁及虛雲老和尚的禪法，有時也奉慈舟老法師之指示，代講經論，諸如《阿彌陀經》等等。

一九三六年：赴青島湛山寺，依止倓虛老法師學天台四教，並擔任湛山寺書記，負責倓虛老法師的庶務以及對外連絡事宜。

在湛山寺擔任書記期間，一方面向倓虛老法師習天台四教，及宣揚慈舟老法師的戒律精神。隨後奉倓虛老法師之命，禮請慈舟老法師北上青島湛山寺講律，又護送慈舟老法師到北京，開講《華嚴經》。

一九三六年底：再度奉倓虛老法師之命，赴福建廈門萬石巖，禮請弘一大師北上弘律，歷時半年之久。因《梵網經》的請法因緣，弘一大師同意北上湛山寺，開講〈隨機羯磨〉。

一九三七年：擔任弘一大師的侍者半年，以護弘老生活起居，深受弘一大師身教的啓發。當時並就近依《占察善惡業報經》所描述的占察輪相，請弘一大師親手製作一付，以供修習。

弘一大師爲了答謝他擔任半年的外護，親贈手書的「淨行品」偈頌乙本。

一九三七年至四〇年：隨同倓虛老法師在長春般若寺傳戒，講四分戒律，並往來於東北各省、北京、天津、山東等地，講經弘法。其間曾接觸來自西藏的藏僧，引動了赴西藏學習密法的因緣。

一九四〇年：由北京至香港、新加坡、印度弘法並朝禮佛陀遺跡。

一九四一年：轉赴西藏拉薩學習密法，住在西藏黃教三大寺之一的色拉寺學習經論五年，依止夏巴仁波切，赤江仁波切，並因能海老法師的引進參拜康薩仁波切。

一九四五年至一九四九年：轉赴西康等地參學，總計在西藏學習密法達十年之久。

一九五〇年：由西藏返回中國內地，被錯判刑十五年，勞動改造十八年，入獄長達三十三年。在獄中，他經常觀想一句偈頌：「假使熱鐵輪，在汝頂上旋，終不以此苦，退失菩提心。」奠立了爾後重回佛教，弘揚佛法的信心。

一九八二年：平反出獄，回北京任教於北京中國佛學院。在這段時間如法修學地藏法門，重啓弘揚經論的智慧。

一九八四年：接受福建南普陀寺妙湛老和尚、圓拙長老之邀，到廈門南普陀寺重建閩南佛學院，並擔任教務長一職，開講《華嚴經》、《法華經》、《楞嚴經》、〈大乘起信論〉等。

一九八七年：應美國萬佛城宣化上人之邀，赴美數月後返回中國。

一九八八年：應美國洛杉磯妙法院旭朗法師之請，再次赴美弘法，開講

《占察善惡業報經》、〈華嚴三品〉、《地藏經》、《心經》、《金剛經》、《華嚴經》等，並數度應弟子邀請到加拿大、紐西蘭、新加坡、香港、台灣等地區弘法。

二○○四年：住五台山靜修，並於普壽寺開講《大方廣佛華嚴經》。

二○○六年：講演《華嚴經》同時，並應四眾弟子啓請，同時開講《大乘大集地藏十輪經》。

二○○七年：《大方廣佛華嚴經》講演圓滿，歷時三年又一個月，共五百餘座。並以九三高齡再度開講《大乘妙法蓮華經》。

大乘大集地藏十輪經

序品第一

夢參老和尚 主講

大乘大集地藏十輪經

夢參老和尚主講

在還沒有開講《大乘大集地藏十輪經》之前，我先跟大家漫談一下。我們學一部經，要如何學好、學會？學了經就要去做，要跟我們自己的身心結合。也要懂得因緣法，因緣具足了，一切事物就成了；因緣不具足，這件事就成不了。我跟諸位道友分別了半年，在這半年當中，我去了很多的地方，例如台北、大陸、美國，這就是「因緣」。「因緣」的涵義，就是我們做任何的事情，一定是有前因的，就看緣是否具足？緣不具足，這件事就成不了！不論任何事物，都不會成就。但是，所有的一切因緣又都是假的，所以說因緣法沒有實體。我們也會講「緣起性空」，這部經對這個問題，講得很多。

我們在學習《大乘大集地藏十輪經》前，需要大家發心，發什麼心呢？

發一個懺悔心！我聽到很多人說：「我雖然對於別的事不了解，可是對自己，我還不了解嗎？」我說：「我雖然出家六十多年了，也還是不了解自己！」大家聽了可能覺得很奇怪。不但我不了解我自己，恐怕你們諸位，除了聖人和菩薩之外，不了解自己的人太多了！大部份的人都不了解自己，你知道自己過去做的是什麼嗎？不了解過去的因，現在所受的果，也就不認識。爲什麼我會受到這樣子的痛苦？爲什麼這個災難會降到我的身上？每一位道友，可能都有這種經驗：遭到冤枉！受了委屈！「這件事根本不干我的事，別人說來說去，最後就落在我的頭上。」你認爲很冤枉，這是因爲你不知道過去的因，不了解自己。

也有人跟我互相漫談說：「這個世界上不公平的事太多了！」我說：「那是你的看法！」他問：「師父！你怎麼看？」我說：「沒有半點不公平的！非常的公平，特別的公平！」我說這句話，大家可能心裡不太能接受！你所受的一切，都是自己作的。你自己作的，自己受！怎麼不公平？因爲我們沒有智慧，對很多的事物看不清楚，才認爲這件事很不公平。你過去冤枉別人的時候，自己曉得不曉得？我說：「現在你被人害了，你曉不曉得你過去也害過人？」

我們就說大一點的問題好了！日本人侵略中國，殺了很多的中國人，現在的日本人生活還是很好，經濟很發達，中國人卻受這麼多的苦。他問我怎麼看？我說：「這件事很公平。」他問：「這怎麼會公平呢？」我說：「被殺死的那些人，都已經四、五十年了，這些人現在已經投生到日本，到那兒去享福了！而那些殺人的日本人，他卻生到中國來了。大家換位置看一看，受一受。」

如果是從無量劫的因果觀點來看，非常公平。我說這些話，就是希望諸位道友，學《十輪經》的時候，要用這樣的懺悔心來學。

這部經有一品，叫〈懺悔品〉，就是要我們懺悔過去的罪業，把罪業懺悔清淨，有了智慧，你就會知道了。大家事先要有思想上的準備，你不知道過去做過什麼事，《十輪經》就告訴我們，你過去做些什麼事，現在要受什麼苦難，爲什麼你會生在這個時候。釋迦牟尼佛在世的時候你不生，極樂世界你不生，兜率天你不生，東方藥師琉璃光如來世界你也不生，卻生到這個時候的娑婆世界。爲什麼？因爲你作了這個業！既然有這個業，自己受，這是很公平的，沒什麼不公平。因此《十輪經》就像是跟我們畫像，讓我們知道自己的一些罪惡、一些錯誤，內心就不會不平了！

這一次我們學習《大乘大集地藏十輪經》的時候，我自己都沒有什麼信心，因爲找不到古人的講述，找不到參考資料。那就可能會說很多錯話！我們以前所講的經，古人都講過好多遍了，有參考資料可以參考，說錯了，還可以推諉一點；那些大德都是這樣講的，跟我沒有太大的關係！但是這部經別人沒有講過，就推諉不了。

我先從千佛開始講，讓大家認識我們現在，是一個怎樣的時代。在這個千佛的當中，現在是釋迦牟尼佛的末法時代。我們處的這個時代很苦，而我們受苦的因，是過去的業很重，造的業很多。釋迦牟尼佛的時代，人類壽命特別短，只有一百歲。我們看一看七佛的時代當中，以我們這個時代最好。只有釋迦牟尼佛才有這麼大的願力，他在這個時候來。如果釋迦牟尼佛不在這個時候出世，我們就連這個道理也不知道。因此，一旦我們認清這個時候所受的痛苦，那麼，心裡就會平靜了！等到你學的時候，也就會知道要怎麼去學。

另外，這部經的份量很重，我們學習的時間會長一點。不像《金剛經》或者《彌陀經》、《心經》，可以很快就學完。這部經不行！不過，它的品並不多，總共只有八品十卷。大家可以打開第一卷看一看，〈無依行品〉、〈有依行品〉就佔了五卷；再加上前面的〈序品〉及後面的〈獲益囑累品〉，除了〈十輪品〉，中間的品卷並不多。〈十輪品〉是講：用佛的十輪來對治凡夫業障的十輪。其次是〈懺悔品〉、〈善惡業道品〉及〈福田相品〉，雖然品卷不多，裡面的道理還是很複雜。

在〈序品〉中，是佛讚歎地藏菩薩的功德、地藏菩薩禮佛及讚歎佛的功德，所以在〈序品〉中沒有什麼大意可講的。但是〈十輪品〉的大意就不同了！用佛的十輪來對治我們現在的十輪。

我們學習這部經，要有方法。一定要跟你的日常生活結合在一起！這部經就是告訴我們，要怎樣來生活；在日常生活中，別再去造業，別再去作錯事！因為作了之後，等到要受的時候，你會受不了，會很痛苦的。若是能結合日常生活來學習，我們經常講「佛的十智」或是「佛的十力」，你要對照、學習佛的業，用佛的那個「業」，把我們的業轉化成佛的業。這就是說：你的一言一行，口裡說話的時候，身體有所作為、有所動作、心裡所想的時候，就加以對照。你要在這些具體的日常生活當中，在事上來學習。學完之後，對照自己，漸漸的改正，就愈學愈深入，不會生厭煩的，也能夠很快的進入！

如果不是這樣學，你是進不了的。就以我們日常生活當中的語言來說，這部經是由玄奘大師所翻譯的，跟《地藏經》，或《占察善惡業報經》，在文字上的翻譯有些不同。因為有些大德，是用「意譯」翻譯的，是根據我們的生活、人情、語言及一切習慣來表達。玄奘大師有感於這種表達有失真實性，恐怕與印度佛陀所說的原義有所出入，所以他是依文，也依義來翻譯。多數的文字是印度原來的文字，看起來比較生疏。平常經文中見到的名相，例如：「佛、世尊」，在這部經中，它稱為「薄伽梵」。

就像我最初到西藏去學法的時候，不只是經典上的文句，很難學習，就連說話也很彆扭，很長的時間都改不過來。好像我們說要請你吃飯，或請你喝茶，他不是說：「請吃飯」或「請喝茶」，而是說：「茶吃請」，或是「飯吃請」。你聽了很彆扭，說起來也很彆扭。在這部經文中，有很多地方是這樣子的。懂得它的用詞，當我們說的時候，就會把它顛倒過來，把它的涵義轉換過來。看這部經的時候，也應當這樣看。

經文中有些「比方」。所謂的「比方」就是在法義上，怕你不懂，所以拿別個意思來比喻，那樣你就懂了！但是一經過「比方」，雖然懂了，義理卻相距八萬四千里！例如說「空」，佛教經常拿「空」來比喻我們的「法性」，比喻「自體」、比喻「實相」。我們把它完全理解錯了，就說：「空了，什麼也沒有了」！因此落了「斷見」。

佛教的「空」，不是這樣的空！它不離開「物質」，它就是「顯」物質才說空！這個「空」就是在「具體的物質上頭去空」。就像說你這個「人」是具體的，還在啊！「是空的」。佛法是這樣的涵義！不是說「空了」，就沒有了。這裏僅僅是舉個例子而已，在經文裡面，像這一類的例子很多。

又例如說，《十輪經》的〈序品〉講到地藏菩薩，因爲這部經主要是以地藏菩薩爲說法主的。但是經中的地藏菩薩是隨喜而來，有菩薩僧、羅漢僧及凡夫僧，大家聚會來說《月藏經》；當這部經快說完的時候，地藏菩薩才隨喜而來，並不是爲了要請經說法而來。而佛就藉此因緣，說地藏菩薩的功德，而地藏菩薩也讚歎佛的功德，這部經的因緣就是這樣引起的。在講這部經之前，是講《大乘大集月藏經》。《月藏經》剛一圓滿，地藏菩薩就來了，他來的境界相，大家在經文中一看就知道了。

洪居士所收集的資料當中，收集了地藏菩薩有關的經典，像：《地藏菩薩本願經》、《大乘大集地藏十輪經》、《占察善惡業報經》、《地藏十王經》、《地藏菩薩陀羅尼經》、《地藏菩薩儀軌》，地藏菩薩的《三國靈異記》、地藏菩薩的懺本、占察的懺法，這些都是屬於地藏菩薩的法門。你只要通達了一個，其他都會有所聯繫。《地藏經》跟《十輪經》是相通的，但是不同之處，就在「轉衆生的業」的方法上，有所不同。《十輪經》是修止觀的，《地藏經》是只要造像、拜懺，能夠念地藏聖號，就算修行了。《占察善惡業報經》，有關修行的部份我們還沒有講，也就是在《占察經》的下半部。

《十輪經》最初是教你怎樣修行證入「禪定」，不入禪定，是成不了道。它一開始就教你一個從淺入深的方法，你聽起來好像很簡單，但是用起來就不是那麼容易！也就是「數、隨、止、觀、轉、淨」這六個字，你若是會起修了，就很不容易。

我們大約知道地藏菩薩給我們的教授方法，都有些什麼方法，這些資料都包括了。不過，當中有一項：「佉羅山是地藏菩薩的淨土。」我對這種說法不完全作如是想。因爲當時佛陀在佉羅山說法，正要說完時，地藏菩薩從南方來了，這就說明了佉羅山不是他的淨土，如果是他的淨土，他又何必從南方來呢？而且《占察經》及《地藏經》都指出地藏菩薩是從南方來，從哪一個南方呢？這個時候是在佉羅山的南方！那個時候，是忉利天的南方！「方無定方」！

我的想法是：哪裡有地獄，哪裡是無佛時代，哪個地方最苦，哪裡就一定有地藏菩薩在度衆生！這是他的願！不論他到那個地方，那兒就是他的淨土。我們看淨土，以爲必須像極樂世界、不動世界、琉璃世界、香積世界，才是淨土。但地藏菩薩的淨土，是哪兒有地獄，哪兒就是淨土，哪兒就是他化度衆生的淨土。

我們是不是應當這樣理解呢？這裡是漫談！各人有各人的修行方法，有時候修行是依著〈占察懺法〉拜的占察懺，這只是修行的初步，並不是我們拜了懺，就是修行。當然也算修行，因爲你得要先消業障；業障消了，才會有智慧，有了智慧才會修行。

現在我們還不會修行，觀察我們的出入息，觀一觀就散亂了，怎麼能入「定」？但是經過拜懺，業障消失了，業障一消，智慧生起，修行就容易進入。所以任何修行的最初法門，都以懺悔爲第一，要先消業障。學密宗也如是！你得先磕十萬個大頭，那種磕頭不像我們這樣的頂禮，而是大禮拜，你得先消業障，這是修行的前方便。如果一生就這樣拜下去，是不是能成就？

一定能成就。因爲你的智慧在增長！在拜的時候，你就起了觀想：「能拜、所拜、能禮、所禮，性空寂！」經常這樣觀想，久了，就可以證入，那時候去修「定」，很快就進入了！

但是，每部經、每部論、每位菩薩，修行的方式都不同！也有道友這樣問我說：「地藏菩薩來到這個會上，爲什麼有很多人不認識他，還需要找人介紹？」我說：「不但地藏菩薩是這樣，就連釋迦牟尼佛，還有好多佛國土的人，都不知道他。」宏覺法師開玩笑說：「不用說其他的佛國土，就連我們這個國土，是釋迦牟尼佛的弟子，他就只會念阿彌陀佛，卻不知道他的老師是釋迦牟尼佛。」這個沒有什麼不同點，只能說：「沒有緣」。也有些法師不知道地藏菩薩，我也聽說過。「我沒有聽過地藏菩薩，沒學過什麼地藏菩薩法門，也不知道地藏菩薩。」同樣的，現在也有很多人不知道文殊師利菩薩。這是爲什麼呢？這就是我剛才跟大家所說的「緣」，過去多生累劫沒有跟菩薩結緣，自然就不了解他的方法。

很多人有判教的習慣，凡是地藏菩薩的經，不論是《地藏經》也好，《十輪經》也好，說的都是地獄、人間的事，好像不是大乘。一說到大乘，就得好大好大，認爲要像「唯心法門」，那才是大乘。或像密宗的「大手印」，一下子就成佛，以爲那才是大乘。他們以爲《地藏經》、《十輪經》，乃至《占察善惡業報經》，是小乘。至於《大乘大集十輪經》特別標指是大乘，有些只寫《大集十輪經》，沒有大乘。而玄奘法師所譯的版本就標示著「大乘」。

這部經有兩次的翻譯，一次在隋朝，誰翻譯的也不知道，因爲這部經翻的有欠缺，第二次的翻譯，是玄奘大師所翻譯的。大家看他的註釋，時間、地點、條件都有。玄奘法師翻譯這部經是在唐朝永徽年間，是玄奘法師從印度返回中國十六年之後，才翻譯這部經。

經裡除了讚歎地藏菩薩的功德之外，地藏菩薩也向佛讚歎了一番。佛跟地藏菩薩互相酬唱的目的，主要是破我們的「十惡」。《占察善惡業報經》的〈占察輪〉上，也是注重這「十惡」。《地藏經》所講的，你之所以要下地獄，也是這「十惡」。

甚麼是「十惡」呢？就是在我們「身」上所發生的「殺、盜、淫」，「口」裡所說的「妄言、綺語、兩舌、惡口」，「心」裡所想的「貪、瞋、癡」這十個業。身上所作的業，口裡所發出的業，心裡所起的業，就是十業，這十惡業不做，盡做好事，那就是十善。說好話，不惡口，儘量促使人和好，不破壞別人，就不犯兩舌。口裡說話從來不帶污穢的語言，這叫「不惡口」。總是讚歎，除了讚歎別人的功德之外，盡量說些好聽的，說些使人歡喜的語言，這就是對治「惡口」了。沒有道理的話不說，不要一天到晚都說一些打發時間的「閒談」，再不就是「人我是非」，這類的話不說，就是「不綺語」。那些沒有意義的話不說，騙人、欺詐、妄語就更不說了，這樣口業就清淨了。加個「不」字就是善業，沒有「不」字就是惡業，也叫「惡輪」。心裡起貪念，起瞋念，起了邪見，愚痴就是邪見，邪見就是不明白，糊塗，無明業因，就是「貪、瞋、癡」所引起。如果我們心裡「不貪、不瞋、不痴」，就是善業。身上「不殺、不盜、不淫」，就是善業。「不淫」是指除了夫婦關係之外，但從究竟來說，是一切不淫，這就是善業。

形容這十善業，就是「善輪」。若是造罪了，就成爲「惡輪」。「輪」有什麼作用呢？大家都知道，輪是不停的發動運轉。輪是轉變的意思，輪轉不停的。爲什麼我們在六道輪迴，會永遠不停息？永遠流轉？就是因爲「業」，「業」使你不能停止；若你做「善業」，善也使你不能停止。但是「十輪」有究竟，也有初步。將善業達到佛的「十輪」，就是「十智」。將衆生的惡，轉到「五逆十惡」，就是最惡的「十惡輪」，「無依行品」、「有依行品」，講的也是這個「十惡輪」。

先講以佛的「十輪」來對治衆生的「十惡輪」。因爲這部經的名字叫做「十輪」，爲什麼要加一個「地藏十輪」呢？這部經最後被囑記來流轉、護持這部經的菩薩是虛空藏菩藏。《地藏經》的〈囑累人天品〉，也是虛空藏菩薩。大家知道「虛空藏菩薩」是什麼涵義？「虛空藏菩薩」在《華嚴經》上，是指容納一切、含攝一切；虛空藏的「藏」是寶藏的意思。「虛空」不是這個虛空，而是形容他證得了「性空」，證得了「眞心」，證得了《占察經》的十相。「空」，不空，「虛空」含藏一切法而不空。這部經囑記他去宣傳，囑記他去弘揚。

這十輪沒有停止的時候，不論是善輪或者是惡輪，甚麼時候才會停息呢？等自己的心都靜下來了，佛佛都證到十輪停息的境界，證得這個「性體」了，是要讓我們達到這個目的，因此稱為「大乘」。

「大」者，是指我們的心。《大方廣佛華嚴經》也是這個「大」字，《大乘妙法蓮華經》也是這個「大」字。「大」字是標明我們的心體、總體。一切的法門，大總相法門體，就是大。「乘」是運載，若依這十善業，就能把你運載到達究竟的「寂滅」，能「寂滅」就是佛果。「空」的涵義，在梵文裡，或者叫「寂滅」，或者叫「寂靜」，都是形容「空」的。然而它不說「空」，中文沒有這個字，我們翻譯不出來，就用「空」這個字來代替；但是一用「空」，我們又誤以為跟空一樣，一說到「空」，好多人就落了「斷滅見」，以為「空」就是沒有了！「空」不是沒有了，「空」是說「緣起的諸法」，它的本體是「性空」的，這一個「空」是包括一切「緣起法」的，怎麼樣來顯這一個「空」呢？用「緣起」來顯這一個「空」，如何來證得這一個「空」呢？「緣起還滅」就證得這一個「空」。

「大集」有兩種解釋：一是在這個法會當中，集合了很多的眾生，多到什麼程度呢？無數！你一看經文就知道了，有多少的聲聞僧？過數量的。用數量來計算而不可能計算的，叫過數量。有多少菩薩僧呢？過數量！凡是說地藏法門的，除了《占察善惡業報經》之外，處所有兩個：一個是在忉利天，一個是在七金山之內，這個佉羅山是在欲界和色界中間，不是一般人可以到得了的。那麼處所就殊勝了，在那裡集會，才容納得下。

凡是佛經所說的數字，不要用我們人間的數字去計算，用一、二、三、四、五、六來計算。好多億、好多萬、好多兆？我們是無法計算的，因此佛一比喻，就用恒河沙來比喻。恒河的沙，七、八千里的恒河，那沙的數字有好多？那不是人的智力所能數出來的。因此在數字上，你應當這樣子來理解。

另一種解釋是說，你能聽聞到「十業」，就能把你運載，發明你的心地，成就你的「性體」，成就你的「毘盧遮那」，就能夠到達「大」。所以，在此次法會所集的這些會眾，都是有緣眾。我們現在能夠共同來學習這部經，說不定我們就是在那個時候沒有成就的衆生，輪轉到這兒來的，我們才會有緣，沒有這個緣，是遇不到的。

對於這個問題，我也想過很多次。隨時都在想：「說無緣，又似有緣，說有緣，好像多年來，從來沒有發心要說《十輪經》。」我沒有發過這個心，我老老實實說：「這部經，除了這一回，說是要跟大家學習，我才看一看。」以前，我從來沒看過。我們雖然聊了《地藏三經》，可是《十輪經》，我並沒有從頭到尾地看，宏覺法師倒比我先看，他先研究了，看了一遍，他拿著一個紅皮的經本，不只是看一遍，還加批注。

以前我沒有這個願心要講這部經，現在因爲幾位道友提議說：「大家共同來學習這部經。」「我一點信心都沒有，要學這部經，有人聽嗎？」他們說：「怎麼沒有人聽呢？因爲很少人知道有這部經。」也許是因緣成熟了！現在來的人還不少；還是有人聽，並不是沒有人聽！那麼，我們學的時候，大家有問題，可以提出來，我們要用長時間去學。既然發心學，就要學好。怎麼樣才算是學好呢？我們要「用」！無論做什麼學問，都要「用」。學寫字，因爲你要「用」，學英語你也要「用」，用英語說話，就是我們要「用」。那麼學這個地藏菩薩教我們的方法做什麼「用」呢？成佛！

心若發大一點，當然不會墮地獄！凡是學《十輪經》的，再也不會墮三塗了，不墮地獄，不墮惡鬼，不墮畜生！我們算是成就了嗎？沒有！一定要成佛。可能生天也好了，享受一些幸福也好，但是到了那個時候，我們不會滿足的。

好比以前在中國大陸，那種生活習慣跟美國沒辦法比較，也跟加拿大溫哥華沒辦法比較，我們經常說，我們所生活的地方是天堂。但是到了這裡，到了天堂，感覺幸福嗎？不會吧！因爲要求又提高了！結果這也不是，那也不是，怎麼都不對勁。我們生天了，該滿足了？生天你也不會滿足，雖然盡是快樂境界，有了快樂境界時，你又有了其他的要求，要求不死！怎麼辦得到！要是說樂暈了，頭腦也發漲；受苦，頭腦也會發漲啊！在天上享福，享快樂了，頭腦也會發漲！什麼事也不做，把那點福享完了，又怎麼辦呢？因此我們一定要依照《十輪經》去學。

我們是發願成佛的，這個方法告訴我們如何一步一步地成佛，我們照這個去運用就成了。大家最初學習《十輪經》的時候，你感覺到有哪些問題？可以提出來討論，我們作為半研究半學習的性質，不要光聽，只用耳根是不夠的，要用你的意根，要用你的智慧，六根互用，才能學得進去。

學習的時候，會有些障礙的。什麼障礙呢？你的家庭有事或者這個因緣，那個因緣，很難說的。你先發一個願，希望地藏菩薩加持，讓我能把它學完；能從頭到尾不缺一課，就這麼一個善根，也很不容易。所以你一定要發第一個願。其次發第二個願：結束我現前的痛苦。要減少障礙不是那麼容易，生病就來不了，或者你現在正準備要去聽課，剛一出門，你家裡來了客人，你拒絕他，說是要出門去聽課，又不近人情，要是跟他去，今天晚上就缺了這個課，這個問題看起來是小事，總的來說，這個事情並不小。

障礙要是發生到我的身上，我也是講不了，也會斷了。所以現在每逢要講經，跟大家學哪一部經的時候，我自己會發願念些經，還要念地藏聖號，得求加持，不求加持，中間斷了，一斷一切斷。

自從講經以來，我到現在最遺憾的、沒有講圓滿的，就是在南普陀寺的《華嚴經》，我講到〈離世間品〉，就離開了。再想回去圓滿這部經是永遠圓滿不了，你就是回去講，那時候聽經的人，與現在聽的人，不一樣了，早走了，我再怎麼講，也補不上這課。怎麼辦？就只有懺悔，其他的經都是從頭講到完的。

《十輪經》，我就希望圓滿講完，不然將來到臨終的時候被拉住，那就很苦惱。所以說，我們大家共同發願要把它學得很好。

大家一定要學到懂的層次，莫學半瓶的醋，怎麼樣才算是懂？能用！用的時候，沒有障礙，你修觀想的時候，沒有什麼障礙。這部經不像《地藏經》是用來讀誦的。《地藏經》贊成你讀誦，好像我們讀《心經》、《金剛經》這些經就告訴你讀誦，《十輪經》是叫你做的，你能做好多，那是不一定的。

現在我們就開始講經文。

序品第一

「如是我聞。一時薄伽梵，在佉羅帝耶山，諸牟尼仙所依住處，與大苾芻眾俱，謂過數量大聲聞僧。復有菩薩摩訶薩眾，謂過數量大菩薩僧。說月藏已。」

這是一段經文。在因緣和合、契理契機的時候，佛說法，說什麼法？《月藏經》。我們沒有學《大藏經》裡的《月藏經》，所以我們不提它。就在這麼一個契理契機的時候，世尊在佉羅帝耶山這個處所，這個地方是一些修寂淨行的地方。「牟尼」就翻「寂淨」。修寂淨的仙人在這裡，他們所依止修行的住處就是地點。這個時候有很多受了比丘戒的比丘僧，有多少？過數量，用數量不能算計，那不是千萬億兆，比這個數字還多，不知數的。

還有些菩薩摩訶薩，菩薩是覺有情，那些發大心的眾生，都是大菩薩，得到成就的，這些也是過數量的。

這部經的當機衆是月藏菩薩。講這部經的時候，是我親自聽聞到的，「如是」是指這一法門，佛所說的這些法，是我親自聽到的。這叫「六成證信序」，有六種證明來成就這個法門，並不是虛假的。「如是」，就是指這個法。「我」，是指阿難自己。在大乘來說就是阿難陀結集的，他說：「我親自聽到的，不是假的。」什麼時候聽到？

「一時」，凡是佛說法的時間，就是契理契機的時候，因爲佛有時在天上說，有時候在人間說，有時候在這個地點說，有時候在那個地點說，地點、時間條件都不一樣，我們可以舉例說明。現在我們這裡是八點半，台灣的時間就不同，大陸也不同，紐約就早了三個鐘頭，也是不同的時間。「時無定體」無法定，何況是佛所說的法，遍及各個世界，人間天上到處都有，以什麼時間爲準？所以就訂了「一時」，就是因緣和合契理契機的時候，這就是「時成就」。

「聞成就」，誰說的呢？薄伽梵，就是世尊，也就是佛說的，這叫「主成就」。在什麼地方說的？在佉羅帝耶山，佉羅帝耶山這個地點，就是在七金山裡頭的一座山，跟須彌山很近，圍繞須彌山的是一重金山、一重香水海。佛經上所說的金山，就是鐵，金屬而已，不一定是黃金，所以說金山。海是香水海，它是圍繞著須彌山的。要是用我們中國的語言翻過來，叫羅鄰山。因爲這個地方沒有人煙，有神通的、修淨行的仙人，才能到那個地方去修行，就是那些牟尼仙人他們所依止的住處，他們所住的地方。

佛是在那個地方說《月藏經》。與會的大衆有哪些呢？就是聲聞、菩薩，這裡並沒有舉凡夫僧，凡夫僧可能到不了。沒有神通，那個地方是去不了的。那麼，僅舉聲聞、菩薩二衆說的法，我們可以從「大集」二字上有所理解。既然是大集，來的聲聞衆、菩薩衆就非常的多，聲聞向菩薩學習，這是我們觀念想到的，也就是使這些聲聞投入大乘，都成爲大菩薩，因此經名是「大乘大集」。

就在這部經圓滿，法會還沒有散去的時候，地藏菩薩隨喜來了，地藏菩薩知道他跟釋迦牟尼佛要弘揚《十輪經》法門的因緣成熟了，所以這個時候他來了。前面這一段經文就是敘說是佛在地藏菩薩將來之前的聚會情況。

「爾時南方大香雲來，雨大香雨，大花雲來，雨大花雨，大妙殊麗寶飾雲來，雨大殊麗妙寶飾雨，大妙鮮潔衣服雲來，雨大鮮潔妙衣服雨。是諸雲雨充遍其山諸牟尼仙所依住處，從諸香花寶飾衣服，演出種種百千微妙大法音聲，謂歸敬三寶聲，受持學處聲，忍辱柔和聲。」

以下是地藏菩薩來了。地藏菩薩來了，先是有一種氣勢，每逢我們看《地藏經》、《占察善惡業報經》都如是。

就在這個時候，從南方來了，起的是香雲，彩雲，在空中的雲彩，含著有香氣。坐飛機的時候，我起過幻想，往那兒看在兩萬公尺的高空上，飛過底下的那片起伏的雲層。至於上面的雲層，我想那是沒有辦法開窗戶，如果可以開窗戶的話，那個空氣或者雲層一定會有不同的感受。

那個時候來了香雲彩。還有雨，「雨」，大家別認爲都是下雨，因爲一提到雨，一定以爲是下雨，這裡頭你看看，一下子下珠寶，下的珠寶就像下雨那麼多，一下子又下衣服，那不是雨。你問我：「這是不是事實？」我就跟你說：「這是意境」。而且到了最後，每一個人的雙手都出現如意寶珠。如意寶珠出了無量的七寶，而地藏菩薩現在加持我們，也要我們的雙手也都出七寶，如此一來大家就高興了，這個世界不會打仗。打仗不就是爲了錢？拿去吧！有的是珠寶。

來的雲是香雲，所下的雨都是香雨。「雨」就當「下」字講，下的就是香。來了大花雲，花雲降的就是花，不都是下水。如果是下水，漫天都是水，那就是水災。這個雨，得作這個意思講。還有一種妙殊麗寶飾雲。大家或者到過很莊嚴的寺廟，幢寶蓋很具足的，台灣也有，下的就是這些寶幢飾物。寶幢飾品，在空中就下這些東西，大妙鮮潔的衣服。

以上來的，所下的，這些香殊妙寶飾淨潔香花，鮮妙美麗的衣服，把羅鄰山都下滿了。滿地都是香花，寶衣妙花。最奇怪的，還有些音聲。香衣有香衣的音聲，香有香的音聲，裝飾品有些裝飾品的音聲，那些花有花的音聲，這跟《彌陀經》所說的一樣，一切的音聲都是法音。所以，他最後總說一句，從這些香花寶飾衣服演出來百千微妙的法音在說法。我們可以想像，要你布施，要你忍辱，要你做善業，不殺、不盜、不貪、不瞋、不痴。法音就是說這些法。

還有你要「歸依佛」、「歸依法」、「歸依僧」。還有歸依三寶的音聲，還有受持戒律學處。這個學處專指戒律說的。戒是我們應當學的，凡是佛弟子，一開始一定要學戒。「歸依佛」、「歸依法」、「歸依僧」也是戒。你就先學「歸依佛」、「歸依法」、「歸依僧」。下了這些衣服寶物乃至寶飾品的時候，裡面有音聲，音聲就是歸依三寶、歸依佛法僧；乃至六度萬行、斷惡行善。所有的音聲是這些音聲。

底下就專舉從上頭所降落的聲音。所下來的這些事物當中，衣裡頭含著音聲，花裡頭含音聲，香雲裡頭含著所降的香氣的音聲。

「精進勇猛聲，降伏四魔聲，趣入智慧聲，廣大名稱遍滿三界聲，勤修殊勝念定總持聲，空無相無願聲。」

這是空無相無願聲三解脫門。

「厭離貪欲聲，色如聚沫聲，受如浮泡聲，想如陽燄聲，行如芭蕉聲，識如幻事聲，無常聲，苦聲，無我聲，空聲，慚愧聲，遠離聲，護念聲，慈悲喜捨聲，證得諸法聲，生天涅槃聲，趣向三乘聲，轉大法輪聲，雨大法雨聲，成熟有情聲，度三惡趣聲，修治圓滿六到彼岸聲，善巧方便聲，趣入十地聲，遊戲神通聲，遊戲清淨無上大乘聲，不退轉地聲，無生法忍聲，灌頂受位聲，趣入一切諸佛大海聲。」

這部經的涵義就是這些說諸法的聲音，如果是有大智慧者，像菩薩摩訶薩，他一聞到這些聲音，就成道了，後面不說都可以了，就像中國禪師的一句話，一點就通了，什麼都不需要多說了。

但是這個聲音，這個說諸法聲，你說是釋迦牟尼佛說的，可以，這是假佛的威神力，要是說地藏菩薩人未到他已經先說法了，也可以。要是再往前，說是佛在前會月藏菩薩的法會說的，過數量的大聲聞僧，過數量的菩薩僧所聽聞的諸法，就是這些法。

現在我們聽到什麼呢？就是這些聲音，我們有沒有聽到？這也要一個一個去解釋，這部經會解釋很長的。〈序品〉是「序分」，並不是正文。從〈序品〉第一品第一卷，到最後的〈獲益囑累品〉，中間才是「正宗分」。

「正宗分」就是說明這部經的目的。你想得到什麼，就在那裡修行。如果開始這麼一演唱，就開悟了，你可以走了，再講下去，你都可以不用聽了，因為已經知道這部經要說什麼了；後面所要說的，就是前面這些大意，為什麼呢？古來大德他一聽，明白你的玄義，就不聽了；你所要說的法，他已經明白了，已經證入了。所以，他才能離開這個法會，只聽你的玄義。

現在我們沒有那種智慧，沒有這種力量，可以運用玄義使人開悟、成道。佛在世的時候，他也對三根說法，上上根的人已經得到，領悟了，人家走了，去修道成就了。中下根的人還在這裡等著，佛還得再說，等到最後，陸陸續續走了。最後對他還是沒有辦法度的衆生，就說等到彌勒菩薩降世，再替佛度他們。或者，最後佛就付託虛空藏菩薩，你流傳這部經來度衆生，就是這個涵義。

在〈序品〉當中，就可以體會到地藏菩薩的威力了，從這裡可以有個入處。我們對地藏菩薩產生了一種特殊極大的信心，極大的信仰，同時我們要發願，願像地藏菩薩擁有這樣神通，不論到那兒去，就先聲奪人，你的財富、車子、侍役早就到那兒，給你安排好。一看來了，就造成聲勢。菩薩也如是，不過，這個聲勢跟我們的聲勢不同，他能夠使很多人得到利益。

「爾時一切諸來大眾，咸見如是種種雲雨，亦聞如是諸法音聲，隨意所樂，各見其身種種香花寶飾衣服之所莊嚴，又各自見兩手掌中持如意珠，從是一一如意珠中雨種種寶，復從一一如意中放諸光明，因光明故，一一有情皆見十方殑伽沙等諸佛世界。又因光明，見諸佛土一一世尊，無量眾會恭敬圍遶，復因光明，見諸佛土一切有情，若有病者，因此光明之所照觸，眾病除愈，諸應被殺及囚繫者，光明照故，皆得解脫。諸身語意粗重穢濁，因光皆得輕軟清淨，諸飢渴者亦皆飽滿，諸被種種刑罰逼切，光明照故，皆離憂苦，諸少衣服寶飾珍財，光明照故，隨念皆足。若諸有情樂欲殺生，乃至或有樂欲邪見，由此光明之所照觸，皆悉樂欲遠離殺生，乃至樂欲遠離邪見。若諸有情，爲於種種求不得苦之所逼切，光明照故，隨願皆得。又因光明，見諸佛土一切有情所受衆苦，無不休息，皆悉歡娛受諸妙樂。又見如是諸佛土中，由此光明之所照觸，遠離一切昏雲塵霧、烈風暴雨不善音聲，及諸臭穢苦辛惡味惡觸恐怖，遠離一切邪業邪語邪意邪歸，不寒不熱，安靜坦然，地平如掌，諸妙樂具充滿其中。」

「諸來大衆」，就是指法會上那些聲聞僧、菩薩僧，還有新來的大衆。地藏菩薩來的時候，還有從他方世界隨著地藏菩薩新來的，在法會當中沒有散去的大衆，都看見了，這降下的雲雨和寶物。同時，也聽見這些降下的衣飾寶物當中，所宣揚的法音，不論你喜好什麼顏色或寶物，你就會看見從虛空降下來的衣飾寶物自動穿戴在你身上。

所以他說，「亦聞如是諸法音聲，隨意所樂」，隨自己喜歡什麼，就見到自己身上所有的香花，寶飾衣服莊嚴。而供養你的衣服，尺寸大小長短都很合適，比裁縫師的還要準確。隨意，一個是菩薩的願力，一個是你的心力。還不只如此，同時各各見兩手托如意寶珠，因為地藏菩薩手托的是如意寶珠。如意寶珠的作用是，你心頭一作意，想得什麼，寶珠就出什麼，滿足你一切的需求。這些與會大衆，不但是滿足了自己身上所需要的，一切心裡所欲求的，也都滿足了。衣服、百花、裝飾品，有的喜好紅顏色的，有的喜好綠顏色的，不見得都一樣，自然就著在你身上，莊嚴圓滿。

但是有一樣是平等的，就是每個人的手掌中都是持著如意寶珠，我們看地藏像，一手拿著錫杖，一手拿著如意珠，他就布施如意珠。每一個與會的大衆手裡都有如意珠；不但有，而且從如意珠裏產生了無量的寶物。這個珠子是放光明的，不但能降珠寶，還會放光，這珠子放的光明有好大？比我們的燈光、太陽光還要大得多。因為我們的燈光、太陽光照不到別的佛國土，他的光明可不同。

「一一有情」，這是指參加的法會大眾，他能看見十方東西南北上下。「殑伽沙」就是恒河沙，有恒河沙那麼多的佛世界，一沙一佛世界。就是因爲如意寶珠所放出的光明，照射出去的有這麼多世界，每一世界都有佛在說法，那麼，在這個光明當中，照見一切佛土；那麼多恒河沙，一沙一佛世界，一個佛世界一尊佛，都在光明中顯現。

同時，在這個會上沒有分別心，也不分別這尊佛是什麼，那尊佛叫什麼名字，這個時候他沒有分別心。「因光明故」，所以現照一切佛國土，亦見到每一尊佛，都有無量的菩薩、無量的大眾在這裡圍繞，無量的佛在這裡說法。

就這麼一見，什麼業障都消除了，如果不消業，就見不到了。又因爲這個光明，見諸佛土一切有情，不只見著佛說法，還能見著他國土的一切眾生，因爲地藏菩薩的光明一照到那兒，有病的，病就好了，眾病除癒，或者要被殺害的，正要到刑場的，也獲得解脫，不會被殺了。或者繫在監獄裡的，能得到釋放。

為什麼呢？「光明照故」，因為地藏王菩薩的如意珠在有情當中，放出光明照，所有大衆的光明都共同的照著，所以都能得到解脫，不過，我們只能得到這個光明境界的體。

說到性體的光明，因為我們每個人的業，雖然還沒有清淨，但是假地藏菩薩的加持力，以及佛在會上的加持力，馬上有這種境界相。有沒有不自由？有。地藏菩薩來了，地大遍照，想抬胳臂？抬不起來，就是因為地大遍照。那只是一剎間的暫時現象，這是地藏菩薩的威力。

所謂〈序品〉就是序說，序說不能深入的講解。如果想把〈序品〉講完，那以後的經文就不用講了，如此一來〈序品〉就會講得非常長，也就是把後面的經文拉到〈序品〉來講。因為這是我們大家共同來學習的，所以很難按次序講，但是我有幾個錯誤，是有意犯的。

我自己是學四教的，就得用四教分科判教。藏、通、別、圓，認為這部經應該屬於哪一教，要先釋名，釋名完了，還要解義；解義完了，講宗趣；宗趣完了，還要顯目的。必需依循這個規律，這是中國佛教大德所定的規律，叫五重義。這五重，若要一重一重講，也得用上十天的時間，才足夠講五重玄義。

但我最初學的是五教，要講五教，除了小、始、終、頓、圓之外，還要講十玄門。在沒有講經之前一定要先講十玄門，講十玄門的時間恐怕要玄談半個月、一個月。現在我們一天只講一個半鐘頭，爲什麼要這樣做？因爲古來大德講經的時候，比方說，我要講《法華經》，來的全都是學《法華經》、研究《法華經》的，來聽也就是爲了聽你的玄義、聽你的判教而來，他把這個學完了就走了，經文部份就不聽了。

大家都是初學的，我要是玄談起來，恐怕會把大家玄到空中，就像坐雲霄飛車似的，會把大家嚇壞了，不知道「飛」到那裡去了。

我們現在是依文顯義，但這是錯誤的方式。如果講經，依文顯義，依照文字來解釋意思，要是不照文字說，卻說另外的義理，「三世佛冤！」這是跟三世佛作對頭，冤家，不可以。「離經一字！」如果講經法師離開經，自己瞎說，離開一個字，非下地獄不可，「即同魔說！」那不是佛說，而是魔說的。大家想一想，如此一來，法師要怎麼當？離開經，離一個字，都犯錯，不離開字，照著文字說，那是佛的冤家對頭，這是一個。

對機說法，因人施教，今天大家有緣，我也只有這樣的智慧，這麼一點知識貢獻給大家，再多了，我也沒有那個智力。說錯了，只有下地獄，下地獄也是該下，沒有辦法。

長久以來無論講經處事，我總是這麼一個思想，隨時準備下地獄！能不能躲脫？那就看地藏菩薩加持不加持！如果地藏菩薩加持，或者我暫時不墮地獄，或者是墮地獄，那我就先懺悔後再去做。等做完了，我再去懺悔。只有這樣，不然就斷了，如果都不說，《十輪經》就斷種了，眞正已經差不多要斷了，在《大藏經》裡頭有好多經非常的微妙，對我們非常好。沒人說，斷了，沒人說等於斷了。只是藏經裡有，有也等於擺在那兒，還有好多的寺廟，藏經不准看不准動，說那是犯罪的，認爲藏經應該是用來供著的，各說各的理。對我來說，佛所說的經，就是叫我們學的，不准看，擱著那兒做什麼呢？擱久了，爛了。爛了，大家也不知道。

我們學的時候要踏踏實實的學，等到正文的時候，眞正的入理，不違背理；此外，還得入世，一定要跟日常生活結合，那就是把我們學的，能用得上，學了就用，今天有煩惱，一學《十輪經》，煩惱消失了，就是用上了。能很苦，心裡想不通，拿《十輪經》看一看，聽一聽，學一學，也就通了。能有這麼的用處，就很好了。

前面跟大家漫談，現在我們正式講經，不是重覆，而是從頭再說一說。這部經的名稱，就叫《大乘大集地藏十輪經》。

「大乘」，佛教分爲大、中、小三乘，因爲佛說法是對機的，所對的這個人就是機，對大乘菩薩或者對那個發大心的人，就給他說甚深的了義法。對著中下之機，看他所好所要的，就給他說，能漸漸引他入門的中小乘法。大小的涵義，前面我跟大家解釋了，「大」字，很簡單的解釋，就是我們現前的一念平常心，凡是所說的「大」，最究竟就是要顯你的心，明白你的心，那就具足一切了。

「法」，沒有大也沒有小，有的人因爲受苦，知道苦，他會想到希望一切眾生都能離苦，這就是「大」。佛講的是「法性」、「理體」，他卻只想到自己，沒有想到別人，大法也會變成小法。「法」沒有大，也沒有小，是依照你的心而立的；法的本身，是指「性體」說的。因眾生有種種性，所以佛也有種種性。「法」就是方法，是軌則，看你怎麼理解。所以為了大乘、小乘、顯宗、密教、四教、五教起爭執，沒有必要。一爭，就成了戲論。因此，我們要先懂得「大乘」這兩個字。

「大集」，就是這次與會的大眾來了很多，集者多義。集合在一起，做什麼呢？來演暢大乘法。

「地藏」，「地」是每個人的心，指心地，以及這心地怎麼用。「地」是形容我們的心，因為大地含藏一切，我們需要的一切都從地上來的。無論汽油、煤炭、熱能，通通是由地裏出來的。地是含藏義，還有是生長義。我們所吃的、所用的一切都是從地而生的，就是形容由你心地而生的。「藏」是密藏，也就是含藏了很多的義理，可是我們不知道，為什麼不知道呢？因為我們迷了，也就是我們的心迷了。

把這兩個字解釋爲我們的心都可以，但是由我們的心所產生的身語意業，由這身語意業，發展出來，身三、口四、意三就是十業。這十業是永遠不停的，就像輪子似的，不會停止，永遠地轉。同時，輪子有一種功能，它有摧輾之義，可以幫助我們，輾掉惑業苦，產生清淨的戒定慧。

以我們的佛弟子來說，若歸依了三寶，學了佛法，輪子卻轉反了，那非但不能向正轉去除他的三業，反而增加了很多的三業。怎麼說呢？因爲本來已經夠苦惱的，而原本應當是信了佛，信了法，信了僧，滅除苦惱；但是他卻不如此，他在佛法中起分別，破和合僧，乃至造業、謗法，破壞佛。他以爲在讚歎佛，其實是破壞佛。

這部經就專說這種現象，所以在這部經裡，對於破戒的比丘，只要他還披著袈裟，他作他的業，你不要管，只要他現的是三寶相，就要恭敬他。恭敬他，是你的福德，你若破壞，就產生罪惡，不論他多壞，那不是你管的。所以佛不接受國王大臣以法律來制裁出家的比丘、比丘尼。我舉這個例子，就是要說明，十輪是用佛的十輪來對治我們的十輪。

經是貫串義，像我們把花串在一起，在印度，就是用線把花串在一起的。因爲經所說的義，對這個衆生說，對那個衆生說，乃至於前面說、後面說、顯說、密說，都把他們串到一處貫起來，使經義含攝到一處，這就是經題。

〈序品〉就是序說，是這部經的發起。在這〈序品〉當中，一個是讚歎佛的功德，另一個是佛讚歎地藏菩薩的功德，爲什麼佛要讚歎地藏的功德？我們在《地藏經》也講過，在《占察經》也講過，要使那些不瞭解地藏菩薩因地修行的，以及對他的信心、恭敬心不夠的，假佛一讚歎，就生起欣樂：「這個大菩薩不得了，我要親近他，乃至於聽他的名號，拜他的像，我就能得到許多好處。」那樣子你再來學，就可以很快的進入。

衆生心是這樣的，如果聽別人說那個人好，你還沒有見到那個人，你就對他非常的信。假如一見著，感覺就更好了。但也有些是虛假的，名不副實，聞名不如見面，見面勝似聞名。有人見了面，不如聞名，見了面，對他簡直是看不起。再進一步瞭解他，更壞，那是假名。菩薩可就不同了，凡是經上所說的諸佛菩薩，你可以去研究研究。你見見面看一看，會生起無量的恭敬心。

有的道友問我說：「像地藏菩薩、觀世音菩薩，不是人人聽到都會生起恭敬心嗎？爲什麼還要介紹？」佛向大衆、向這個法會介紹，是從我們的思想境界來看這個問題。就是在這個世界上，五、六十億的人口中，不知道地藏菩薩的人太多了，因爲沒有親近過三寶，所以都不知道。有人接近過三寶，甚至出家好多年了，也有不知道地藏菩薩的名字，更不用說根本不知道《地藏經》、《十輪經》、《占察善惡業報經》。這是我親自知道的，我不會說瞎話的。有些人講了很多年的經，還不知道地藏菩薩，從來沒有學過，也沒有接近過，也沒有看過。因此，必需介紹一下。

在這一個法會當中，很多人不見得知道地藏菩薩。所以大家在《地藏經》中看到，連文殊師利菩薩、普賢菩薩、虛空藏菩薩、普廣菩薩，他們都向佛請問，讓佛說一說地藏菩薩的功德。你心裡想，以觀世音菩薩那麼大的神力，那麼大的神通，還不會知道地藏菩薩？各化一方，佛跟佛，各個的緣不同，雖說是佛佛道同，不過，各個佛說的法不同，各個佛的世界不同。因此就有必要介紹一下，〈序分〉就是這個意思。

在這個會上，地藏菩薩是以他的神通力、願力來隨喜的。他知道跟這個法會有因緣，就去隨喜讚歎。在《地藏經》上，佛是放光召來的。光就代表音，光和音是相同的，乃至於我們前面所講的大概有三十九種聲音。每一種所下的雨，所下的衣服，所下的殊麗寶飾，都在說法，這裡頭含著有聲音，一切動作都有聲音。我們聽不到。爲什麼呢？因爲我們的耳根還沒有證得圓通。所以，他用這種的方式表達出來。說法音聲，人還沒有到，地藏菩薩還沒有現身，聲先到。而且他所感召的這些雨、這些寶物、衣物，都是作爲資生的工具，是人人都需要的，人人都會感覺自動的穿到身上。

爲什麼會有這種景象呢？這就是地藏菩薩的願力，是無量劫來修行的因，所招感的果。他才一動，還沒有到這個地區來，這個地區只要是跟他有緣的眾生都能得到好處，這就是讚歎地藏王菩薩的功德，希望欣樂，連繫到大眾。

這部經上所說的話都跟日常生活有關係，像上面所說的，我們都有需要。需要不需要財寶？即使現在沒有這種需求，但是我們仍是處於黑暗之中，就是無知、無明。無明就是無知。我們有很多邪見，知見不正確的，看問題就會看的不對。因爲問題沒有看對，做起事情來就容易犯錯。本來做生意是想發財的，但是因爲沒有看對，投進去就是賠本；本來想去娛樂，到那兒就生病了，因爲氣候對你不適宜；想去旅遊，飛機出了事故，乃至於種種迫害，這就是因爲昏暗無智。不該做的，你去了就有危險。若是有智慧，就不會去。如果你因爲地藏菩薩的光明這麼一照，就有智慧了。有了智慧，你就明瞭，不該做的你不做，不該去的你不去，不該說的你也不會說。

連繫到我們自己是這樣做的。但是這裡所說的種種功德，乃至於說法的種種音聲，有的道友就說，我怎麼一個也沒有遇到？因爲沒有這個緣。現在我們講這部經，講地藏菩薩的功德，你就是有緣遇到了。今後你念地藏菩薩聖號，或是求地藏菩薩，拜地藏像，或者學習地藏《十輪經》，包括《占察善惡業報經》、《地藏經》，凡是跟地藏菩薩有關的，多次緣念之後，你逐漸的就可以得到。當時，佛在會上時候，在那個法會上的人，他們就得到了。現在我們也得到，將來我們遇到這種因緣時，也會得到加持。

這個加持有兩種，一種是我們明顯見得到的，或是心裡感受得到，另有一種是你見不到，感受不到的。有些現象是地藏菩薩的加持，或者是念了《地藏經》，或者自己的事情感覺比以前好一點，這叫明加。明加，就不是顯現的。但也有眞正的夢見了，也有夢見地藏菩薩來灌頂。喝了灌頂水，本來很愚痴的，記憶力會變得很強，恢復記憶力了。

有的小孩子是智障兒，或生下來就聽不見、看不見，心智昏闇，因爲他念地藏菩薩，父母替他求，念地藏菩薩，他就好了。確實有這種事例，我知道的就有好多個案，這就是地藏菩薩的加持。但是，這些都是屬於小因。我們最大的希望是成佛。有的人從這些就會明心見性。他一見到，就心開意解，全部的業障都消失了。這是隨各人的根性而有不同。

聞法的時候，當時在同一個法會的大衆，有證聲聞果的，有發菩提心的，但也有還沒得到利益的，也有給後來作種子。當釋迦牟尼佛在印度說法時，也許我們就在場，雖然聽到了，卻沒有得到好處，還在流轉，這叫遠種子。如果佛說法把這佛所說法都度了，佛也不用囑託彌勒菩薩再去度化衆生。你看每部經講完了，佛都要囑託一位菩薩，說這部經你要好好弘揚；衆生未度者令得度，已度者得令增長，都讓他們達到成佛，每部經都如是。我們的腦子應當這樣想，現在我得到，只要我聞到就是種下種子，永遠不會變壞，佛會隨時加持我，讓我得到利益。因爲在〈序品〉中，說地藏菩薩的功德，他所作的每一件事業、每一件功德都是他修得的。

就像現在大家發心修，修的方式、方法、依照什麼樣去修，形式不同，效果也就不同。用心很眞切，用心很至誠，你所得到的效果就又快又大。如果你的心只是隨隨便便聽了，就像上課一樣，你就只是得到遠因，將來跟別人不一樣，慢慢的等到哪生哪世，再成熟了，才能遇到，再增長。又隔了多生多世才成熟，再增長。乃至於一個人的一生，從你聞法了之後，就逐漸的增長變化。不過，你不要產生邪見，若是一產生邪見，前面的功德等於按電腦的刪除鍵，一下就清除了，沒了。

產生邪見，就不成了。這裡最注意的就是邪見。一定要遠離一切邪業、邪語。邪業，跟大家解釋一下，特別是殺生業。當然我們的弟子不會開妓女院，但是開卡拉ｏｋ的，恐怕還是有的。但看你怎麼做。你做屠宰業的，專門殺害衆生，這就叫做邪業。邪語就多了，說不正確的話，違背自己的良心說話，爲什麼呢？爲了眼前的一點小利，自己也知道不對，也知道不能這樣說，但是爲了維護自己的利益，要捧場，必須這樣。這樣子的事多得很，恐怕像這類的話，每個人都說過。

邪意可就困難了，邪意就在我們的心裡頭，生起不正當的念頭，你要隨時觀照，不要失了念。最後要遠離一切的邪業、邪語、邪見。因爲你可以選擇事業，說話你可以作主，思想你可以糾正。你自己能夠做得好，歸依三寶了，就不要再東找方便，西找方便。有的人之所以去學氣功，是爲了保持身體健康。可是不管怎麼保持，也是保持不住的，因爲這不是正業。我看汽車撞死的、飛機失事的人，身體不見得不好。這件事情你作不了主。你應當正信三寶，你想要運動，多磕幾個頭也可以。磕一般的頭不行，就磕大頭，磕不到二、三十個渾身都是汗，這也是運動。這是正業。

不過我看很多人聽起來不大舒服。以爲保養身體不是壞事。爲什麼保養身體？身體存在的意義是什麼？他不研究，反而去搞五慾。一天到晚上酒館亂喝酒，喝得醉醺醺的。想把身體保養好，完了還吸毒。想把身體保養好，又亂搞男女關係。我們這個身體怎麼保養，幹什麼呀？保養它來造業！這叫邪業。邪語，是由你不正確的思想來主導。

邪見的關係最大，它指導你的身，指導你的語。亂說話之後，往往惹了很大的禍。我們所說的念念緣念三寶。三寶就是你的歸依處。如果離開這個歸依處，你要想歸依到別處，那就是邪歸；歸依三寶，永遠得到清淨，將來直至成佛。你受三歸依，能堅持著，就不會墮三塗，永遠在人類道上。雖然你一生修不成，慢慢的也能成道。如果本來信的是正教，也歸依過。他感覺這個來的不快，聽別人說有一個方法馬上有神通，就把三寶丟了，背離了三寶。這種情形，我聽了很多，這就是各人的業。

我剛到紐約，有些居士也歸依過我。後來他們又去歸依清海，後來覺得清海也不夠快，要再找些更快的方法。最後就引發了魔症，這個魔症一現就沒有辦法了，你再去挽救也救不回來。破了見很不好救。破了戒，還可以懺悔，要是破了見邪就不是一生兩生，而是無量劫。一旦墮到邪知、邪見裡頭，很不容易挽回的。

假使說，他有大善根，遇著地藏菩薩，這個放光的光明觸著他，他捨了邪見，捨了邪業，但這種因緣，又有好多呢？很少，很少。現在大家有哪位受到地藏菩薩光明照耀的？我認爲都沒有。我想大家或者會有得到利益的，但是這得看各人的因緣。

「爾時衆會，其身欻然，地界增強，堅重難舉，既覩斯瑞，咸悉驚疑，何因何緣而現此相？於衆會中，有天帝釋，名無垢生，去薄伽梵不遠而坐，即從座起，頂禮世尊合掌向佛，以頌問曰：」

大家都懷疑，不知道發生什麼事情，在這個大集會的會場，佛說法當中忽然有這些現象，這不是一般的現象。就是上面出現的種種瑞相。參加大會的人突然間感覺他的身體、手不能動，胳臂抬不起來，地界增強，就是指他的身體。地大失去作用了，不過知道這是暫時的，沒有妨礙。爲什麼會有這種現象產生？懷疑、驚懼，不知道是什麼因緣現了這些相，大家都有這種想法。

中間就有大菩薩來請問佛。在這個會衆中，有一位天帝釋。天帝釋，我們可以說是玉皇大帝，或者忉利天主，祂的名字叫無垢生，這都是大菩薩示現的。凡是每一個帝釋天也好，梵天也好，在每個法會當中，向佛請問的道理非常深，這都是菩薩化現的；菩薩化現，才有這個智慧。也因爲他的座位跟世尊不遠，他起來問的時候很方便。他就從他的座位起來，向佛頂禮。請法要先作儀式，我們都是凡夫，大家請法或者問什麼問題，並沒有那些規矩的。大家發言就好了，師父這樣要求，道友也是這樣做。

佛在世時候，在這個大法會上，不是那麼隨便就這樣問的，你要請法，必須先離開座位，到那兒先給佛磕頭，頂禮世尊，完了，經中常說「胡跪合掌」，就是一條腿跪下，現在我們是雙腿跪下。胡跪合掌，要向佛請法前，先讚歎佛。以下就是他讚歎佛的偈子。

「具諦語諦見，諦善住牟尼，普爲眾弘宣，諦究竟堅法。
令諸有情類，滅苦及苦因，何緣於此中，現諸雲雨等。
令舉眾歡悅，咸生淨信心，皆發趣大乘，度疑生實見。
天人大眾身，地界增堅重，不能自勝舉，此相有何緣。
兩手皆珠現，雨眾寶放光，照十方除罪，息苦獲安樂。
導師復何因，令舉眾皆見，種種香鬘等，各各自嚴身。
天人普猶豫，不測何因緣，有誰將欲來，現此神通力。
爲是佛菩薩，爲梵魔釋天，唯願大導師，速爲眾宣說。」

佛所說的話，佛看的問題是眞實的。諦者就是眞實義，諦者如實語。佛說法的時候，常說，「諦聽！諦聽！」就是如實地聽，也就是觀照你的心，用你的心聽，不要用耳朵聽。說話的時候要稱心而說，要諦實之語，這就是實相。佛說的都是諦實相而說。佛說法，佛也在生活，也在托缽乞食，但是沒有離開定，如來常在定，一切動作都沒有離開定。地藏菩薩也如此，一切時沒離開定，都是在定中的動作。定能生慧，慧中的方便，所作的一切都是方便善巧的。這個方便善巧是根據實在的根本慧而生的，根本慧是依照實相理體而生的。一旦具足證得實相的見，你所說的話都是實在的話語。知見也都是眞正不虛的知見，你就是稱眞而住，常在定中的。

「牟尼」又翻「寂默」，釋迦牟尼的「牟尼」就翻「寂默」，「寂默」就是在靜中，「寂靜」也可以說是「涅槃」，也就是「涅槃寂靜」，是三法印之中的一種。寂靜當中善住，住在什麼地方呢？住在實際理地，住在實相理體，住在中道義，住在第一義。「寂靜」義，就是這樣一個意思。

無垢生天帝釋就讚歎佛：「佛！您是具足一切眞實語，您眞實的諦見，常在定中。」「普爲衆弘宣」，希望你善巧方便，從那根本慧生起方便慧，善巧示現來教化我們這些無知者。

請法也不容易，凡是請法的，除了讚歎之外，要想顯這個義理，在請問這個道理的時候，他也用種種的方便善巧去提問題。提問題不容易，要請開示也得學習；像現在的道友們互相之間就是閒話家常，孩子怎麼樣，身體怎麼樣，社會現象怎麼樣。那個時候的法會很少問這些問題，但是也不離開這些問題。不過語言的善巧不同，佛會跟我們講究竟的、堅固不壞的、金剛性的這種善巧法。佛是「具諦語諦見，諦善住牟尼，普爲衆生宏宣，諦究竟堅法。」專門給衆生說金剛法，說不動法，讓衆生得入眞實的，這是請求。

因此我要求佛：「令諸有情類，滅苦及苦因，何緣於此中，現諸雲雨等。」現在我們的法會，出現了最奇特的現象，現了這麼多的雲雨，雨這麼多的妙寶，每一個人手上都有一顆如意寶珠。讓這一切的衆生不但是苦果滅，連苦因都沒有了。有因才有果，只滅苦果不滅因，或者我們修道只求我們轉變苦果，不求轉變苦因，我們現在不舒服，病好了，就算病好了還會害的。所以要移去那個因，你爲什麼害病，那就是苦因。我們爲什麼會受苦？爲什麼別人不受苦？我受苦，這世界太不平等。他有錢，我沒錢，爲什麼？他不找因，只在果上找平等，這是平等不了，沒有辦法平等。平等，是在因上平等。要懂這個道理。

在這個問話當中，是什麼因緣在我們這個法會當中現了這麼多的奇特相？示現這個雲之後，又下了妙寶嚴飾，下著資生的器具，乃至現如意寶珠，爲什麼？因爲這種境界令大衆非常的歡悅，令舉衆歡悅，大家都歡喜，歡喜得不得了，生起一種清淨的信心。一說到淨字，那是指貪瞋癡慢疑身邊戒見邪，貪瞋癡、妄言綺語兩舌惡口、殺盜淫都沒有了。而生起一種清淨心，由這個信心生起清淨信，感覺很殊勝。

大家都知道大乘，所謂大乘者，說通俗一點就是成佛。一旦發心了，嚮往成佛，這是大乘。知道這種境界是不可思議的，不是一般的。我們最大的障礙就是沒有信心，爲什麼沒有信心呢？疑惑太重。眞的嗎？能成嗎？問號太多，不知打了多少個問號？都是疑，疑者不是完全不信，而是半信半疑。完全不信就連疑也沒有了。完全不信也不疑了，他根本就不信。疑就是含著有一個成份，疑就是「好吧！」這樣一個涵義。

這個懷疑的心，還是不了解的心。沒有能夠成就，得到實在的見解。讓他生，令生實見。度疑生實見，這個實見，就是眞實的見地。這樣明心見性的人，他所生的見地，都是實見，從心而起的見解都是實見。

還有一種情況：突然之間，不論天人，所有與會的大衆，爲什麼「地界增堅重」？地界就身體，地大堅重。「不能自勝舉」自己想舉個手，想動一動都動不得了。我記得我看小說的時候，有一種定身法，一指你就定著了，一動都不能動，這裡是指地藏菩薩的威德力。身體感覺不能動，這又是什麼緣呢？爲什麼會有這種現象呢？

還有一種奇特的現象，「兩手皆珠現」。這個偈頌是重覆前面的，他要再說一遍，前面沒有詳細講，在這個偈頌中再說一遍。「兩手皆珠現」，大家看到地藏菩薩手裡拿的是如意寶珠，如意寶珠是求什麼就現什麼。觀世音菩薩的淨水瓶，那個瓶子不只是裝水的，什麼都有，只要你求什麼就現什麼。不但現珠，這個珠子還要放寶，雨種種寶，還要出來現種種寶，寶上還放光，照到十方的佛國土，不過並不是全都照到。所以，手裡有珠子，珠子現了種種寶，能夠雨種種寶，之後又現種種的光。這種種的光，照到哪個地方，哪個地方就得到吉祥、快樂。前面說種種的疾病遇到光就好了，那麼要是修道者遇到光也就成道了。一切的苦輪也都息滅了，息就是止息，一切苦都止息，都得到安樂。

世尊，導師就稱世尊。世尊，這是什麼原因？爲什麼令大衆都能見到？「令舉衆皆見」。我們都看見了，每個人的臉面都看見了，光一熄什麼也見不到，因爲有這個光。這是什麼原因呢？是什麼使大衆都能見到，是何因呀？乃至於所現的種種香花，莊嚴飾具鬘，每個人的身體也變得很莊嚴、很飽滿，過去沒有呀？對於這種現象，大家都很懷疑。「天人普猶豫」，猶豫就是懷疑，不知道是什麼回事，所以莫不測因緣，有如此的現象，是有什麼菩薩來或者有什麼佛來嗎？是他們現的神通力？或者是特大的梵天，或者是魔王，或者是帝釋天，這是一個問號。

誰有這麼大福德的，能夠現這種神通力，使大衆有這些感受？「唯願大導師，速爲衆宣說。」佛是大導師來接引我們的，快爲大衆說，我們大衆心裡都放不下。有所猶疑，因此啓問。他一問，佛就答他。

「爾時世尊告無垢生天帝釋曰：汝等當知，有菩薩摩訶薩名曰地藏，已於無量無數大劫，五濁惡時，無佛世界成熟有情，今與八十百千那庾多頻跋羅菩薩俱，爲欲來此禮敬親近供養我故，觀大集會生隨喜故，并諸眷屬作聲聞像，將來至此，以神通力現是變化。」

因爲無垢生天帝釋這樣請問，佛就跟他解說。佛是一切智者，一切事物沒有不曉得。佛知道地藏菩薩要來，就跟無垢生天帝釋說：「你應當知道現在有一位大菩薩，他的名字就叫地藏。」「於無量無數大劫」，就是他所修行的道路、所化導的衆生是經過很長的時間，所以用無量無數來形容。「劫」是印度話，「劫簸」，就是時分，時分是最長的。凡是一說劫就形容時間很長，說短就叫「刹那」。印度話的「刹那」是最短的時間，劫是最長的時間，但這是大劫，劫有大、中、小劫。這位大菩薩的願力非常的大，他專門在五濁惡世，化度衆生。

五濁就是這個時候。我們經常說末法，就是當下這個時代很不好，混濁不清。在混濁不清的時代中，想要保護環境，是不可能的，我們實在是無法保護。我們的生命，隨時可以死，是混濁的，不像北羅洲八萬四千歲，他不混濁，很清楚的。因爲我們老的會死，小的也會死，只是不知道什麼時候。生死沒有一定，混濁不清。大家看問題的觀點，不一樣。人見太多，對於自己就有好多的知見，這就是見濁。看問題不一致，還有煩惱濁。煩惱濁，我想每個人的煩惱，自己都可以知道，不用說了。這個世界五、六十億人，各人的煩惱，各人的知見，都很混濁，衆生濁。總的說，這個時候是不好的。

在這個時候，「無佛世界」，地藏菩薩的願，就是在五濁惡世度衆生。哪個地方沒有佛，哪個地獄的三塗苦難特別重，他就到那裡去度那些衆生。「成熟有情」，這是他的願。「那庾多頻跋羅」是個大數字，是十兆。十兆有好多呢？有八十百千個十兆。這是指地藏菩薩跟他一齊來的眷屬。在這個八十百千多頻跋羅那麼多的人，我們這個世界也容不下這麼多人，這是意境，不要在數字上去求。我們只是意會。

釋迦牟尼佛跟無垢生天帝釋說，地藏菩薩現在他要到這裡來，親近供養我，同時，他看見我們這個大集會，很高興，他就來隨喜讚歎，參加這個法會。但是他現的是聲聞像。聲聞像就是剃髮染衣。凡是地藏菩薩都是剃髮的，現的是聲聞像。但是我們有時候看到的是坐在那兒的五佛冠，那是五方佛，是做燄口用的。除了放燄口，還要做法事，給眾生祈禱的時候，要戴上五佛冠。不過，那種時候很少，一般都是光頭，我們供養的地藏菩薩像都是聲聞像。他要到我們這個法會來，這是他所現的變化。

「是地藏菩薩摩訶薩，有無量無數不可思議殊勝功德之所莊嚴，一切世間聲聞獨覺所不能測，此大菩薩是諸微妙功德伏藏，是諸解脫珍寶出處，是諸菩薩明淨眼目。」

但是地藏菩薩這位大菩薩，他的功德有無量無數不可思議的殊勝功德，雖然示現聲聞像，但是他的殊勝莊嚴，是超過一切的大菩薩；地藏菩薩，超過文殊、普賢、觀音。在《地藏經》第十一品，堅牢地神稱讚地藏菩薩說：「我在這個世界上，見了很多的大菩薩，如文殊、普賢、觀音、彌勒，那種功德願力已經不可思議了，但是地藏菩薩更超過他們。」本來菩薩跟菩薩，佛跟佛，不在這上面比較的，但是爲了要顯示地藏菩薩的功德，所以《十輪經》後面也顯，《地藏經》也顯。像一個發願專要到這個五濁惡世、無佛出世的地獄度衆生，是不好度的。所以，一切諸佛皆讚歎。

有一個故事：目犍連尊者想聽一聽佛的音聲，究竟佛的音聲有好遠，就用他的神通力，結果不知到什麼地方去了，可是佛的音聲還在耳邊。他到了什麼國土呢？他到了人家的法會，正在用齋，他在一個僧人的缽上！吃飯的那個缽碗上跑，那位吃飯的僧人，就想弄走這隻小蟲子，佛跟他說：「你不要動，那是東方一位佛的大弟子。」完了，那位僧人就不敢動了。佛就向迦葉尊者說：「你可以唸本師釋迦牟尼佛，唸本師佛，你的身量就與這個弟子同等。」一唸本師釋迦牟尼佛，他的身量就無量無邊。

我舉這個例子是要想證明什麼呢？佛佛道同的。他爲了度這一類的衆生，他只能夠示現跟他相似。所以，地藏菩薩到地獄去現的是一個很苦惱的出家人，一位和尙，你有時候看到地藏像，不論是在夢中也好，或者是所見的境界也好，就像一個普通的和尙，假如看見很多的殊勝光明，你的業力就變化了，看見地藏菩薩也在變化，諸佛菩薩是隨你的心而變現的。

例如你朝五台山，每個人看的文殊菩薩都不一樣，就是隨你心中現，一切諸大菩薩都如是。因爲在《地藏經》，或者是《十輪經》，顯地藏菩薩功德，把地藏菩薩的功德說得特別殊勝。如果是另外一部經，說文殊菩薩的經，那又不同，文殊菩薩就特別殊勝，文殊菩薩早已成佛，是七佛之師，諸佛之母，般若是諸佛之母。這是顯給衆生看的。

還有，佛經上所讚嘆的那些菩薩，佛在某一個會上凸顯哪一個菩薩，就讚嘆他的功德，要懂得這個道理，不要生起分別心。要是說地藏菩薩功德大，觀音菩薩功德小，就犯了錯誤。但是在經上佛之所以要這樣說，是爲了能夠使大衆認爲供養地藏菩薩，在心中生起殊勝感，是這樣一個涵義。

佛讚歎地藏菩薩，有無量無數不可思議的殊勝功德莊嚴！這是一切的世間聲聞獨覺所不能測，要想測量他的功德，是測量不到的。大家還記得《地藏經》第一品，在法會當中所來的諸佛菩薩乃至於天人，佛就問文殊師利菩薩說：「今天到法會當中你算一算有好多數字？」文殊菩薩對佛說：「以我的智慧力量，一千劫測量不能盡其數。」佛答覆他：「吾以佛眼觀故猶不盡數。」用佛眼看，還不能盡數，佛眼照一切還有不盡數的！那是推崇地藏菩薩的功德，讓衆生產生殊勝心。

學法，學佛，你也得運用你的智慧，要是曉得佛的義理就成了。在本經中也是這樣。佛讚歎地藏菩薩說，他的功德是一切聲聞緣覺所不能測的，不能測著他的邊際。這位大菩薩是一切微妙功德的伏藏，所藏的是無量功德；又是一切的解脫珍寶出處，所以各人的如意寶珠，都能放出無量的珍寶。因爲地藏菩薩所含藏的就是一切的珠寶，他能使衆人得到正法眼藏，所以說：「是諸菩薩明淨眼目」，要想得到你得修無量億劫，但恐怕都還修不成。這種讚歎言語，是表示很尊貴、很殊勝的意思。

「是趣涅槃商人導首，如如意珠，雨衆財寶，隨所希求，皆令滿足。譬諸商人所採寶渚，是能生長善根良田，是能盛貯解脫樂器，是出妙寶功德賢瓶。照行善者猶如朗日，照失道者猶如明炬，除煩惱熱如月清涼，如無足者所得車乘，如遠涉者所備資糧，如迷方者所逢示導，如狂亂者所服妙藥，如疾病者所遇良醫，如羸老者所凭几杖，如疲倦者所止床座。」

「是趣涅槃商人導首」，要想成佛，就像商人到海採寶一樣，你得請一個入海採寶的導師；要想趣向涅槃，你也得有位導師。誰是導師呢？地藏菩薩就是導師，引導你趣向涅槃。就像如意寶珠，雨諸財寶一樣的，隨所希求皆令滿足，他是不會厭煩的。有些道友拜完地藏菩薩，或者唸完經，先求自己家人平安，或者求身心健康，完了又求發財又求很多。有的人問我說：「師父我求的太多，地藏菩薩不會煩嗎？」我說：「你求好多？你求一億十億百億千億萬萬億，地藏菩薩也不會煩的。你求越多，說明你修行的功夫越好，才會求那麼多，不然你求不出來。」

大家唸完《地藏經》發願，我想你求不到好多，因為你的心量沒有那麼大，求不到也想不到；你有沒有求過讓一切眾生都成佛？求地藏菩薩加持，讓一切衆生皆成佛，要永遠的在法界之內，有沒有這樣的求過？沒有求過，你的心量不算大，只想到自己。必須想到你所看見的，想到中國人，進一步想到這地球上六十來億人。想到其他星球嗎？想到法界？有沒有想過讓蓮池海會的衆生都成阿彌陀佛？這些願大家很少發過，我去了就好了，能到蓮池海會加入一員就不錯，你有沒有想過要蓮池海會的那些大衆都變成阿彌陀佛？若沒有想過，今後你得要想，要發願；不但自己生到蓮池海會，聲聞、緣覺，只要生到蓮池海會，個個都是阿彌陀佛，乃至於想到娑婆世界，不論他受多大的苦難，這個世界上的人，現在跟我共處的，一定都能成佛，跟我一起成佛。

發願大一點，他們都成佛之後，我才成佛。千百萬億事，都可以向地藏王菩薩說，就跪在前面，唸十聲地藏聖號，唸完了就發願，別以爲這是願，這就是修道。你有多大的願力，就有多大的神通力，借助諸佛菩薩的願力，阿彌陀佛的極樂世界都是他的願。普賢菩薩的願是盡虛空遍法界，一切的衆生都讓他成佛，那就是普賢大願。一定要懂得這個道理，菩薩不會厭煩的，煩的是你自己。胡思亂想打妄想，想的盡是五慾境界，那就不行。要想聖境，不可思議的境界相，是能生長善根的良田，所以說這塊地生長一切善根，「是能盛貯解脫樂器」，什麼叫解脫樂器？就是解脫。這個樂器別當音樂器名講。

地藏菩薩這塊土地是一切解脫的種子，一切都能解脫，是出妙寶的功德賢瓶。就像我剛才說的，觀世音菩薩的寶瓶，那是出一切妙寶的；消災免難，需要什麼，寶瓶裡面就會出什麼。地藏菩薩的光明照行善者，只照行善的人，行惡的人不成；行惡者要改爲行善者，這就是朗日。朗日就是光明的太陽。

失道者找不到路，前面就有明燈、有明炬，有大火炬指引。惱熱時，月亮是最清涼的，如月清涼。如果是沒有腳的人，有輛輪椅來給你坐，猶如車子，「所得車乘」，一樣的。就像你走遠路又渴又餓，沒得水，沒得吃，那就給你做資糧。如迷方者來給你作示導。「如無足者所得車乘，如遠涉者所備資糧，如迷方者所逢示導，如狂亂者所服妙藥。」

這個人已經瘋狂了，有沒有辦法治呢？那就要遇到好藥，遇到好醫生，如果遇到妙藥，瘋狂馬上就可以止住了。我們以爲害病才是瘋狂，其實，我們現在都是瘋狂的。

為什麼不修菩提道？有的道友認為自己修行的很多，我算一算。我說：「你一天二十四小時，你做了好多？」你還不及我修的多，還說你修得多呢？你自己算一算，二十四小時，一小時，六十分鐘，二十四小時當中，有幾分鐘念佛、念法、念僧？有幾分鐘念貪瞋癡，念殺盜淫，念妄言綺語惡口？你有沒有算過？你修行太少了！大家要多修行，不要自己修行的很少，還自以為了不起。距離太遠了，怎麼能夠明心，怎麼能夠消災免難？好好想一想，怎樣消災免難？

「譬諸商人所採寶渚，是能生長善根良田，是能盛貯解脫樂器」。器是一個器皿，這個器皿盛的是什麼呢？盛的是最快樂的，什麼是最快樂呢？「解脫」，解脫就沒有煩惱，沒有欲望，這叫解脫樂器。這並不是琵琶、琴的那種樂器，這個樂是快樂的意思，能夠出生妙寶的功德賢瓶，這個瓶子是能夠出生一切的功德。我們上面講的是說像觀音菩薩的寶瓶一樣，這都是形容地藏菩薩的功德；誰能做好事、行善，那麼地藏菩薩的光明就像朗日照著你的身。對於失道者，失道就是迷路，在道路走著迷路了，地藏菩薩就像光明的火炬照耀你。如果是有煩惱的衆生，地藏菩薩的光明，就除掉你的熱惱了，像月亮清涼似的，使你沒有熱惱。

「如無足者所得車乘」，走路走的很累的時候，你有車乘，就可以減少這個困惱。「如遠涉者所備資糧」，走遠路，中間沒有資糧，你是走不到的。「如迷方者所逢示導」，方向迷了，有人給你指引方向，像我們走路的時候問路。另一種涵義是我們在人生的道路上，找尋出離生死的方便善巧法門，就是念地藏菩薩聖號。

這段經文所說的，就是地藏菩薩能給我們什麼呢？「方便善巧」。他修道的時候，由於願力的關係，求者能得到這些好處，但這是指有緣者，如果沒緣者，還是得不到的。

「如狂亂者所服妙藥」，我們勸很多的道友供養地藏水，供的時候你自己心裡很眞誠，到了服用的時候，就照著《地藏經》上釋迦牟尼佛跟觀世音菩薩說的方式去做；就能得到好處。得到什麼好處呢？有病苦的就減少病苦，沒有智慧的、沒有記憶力的，就得到記憶力。狂亂者就是心智喪失，或者想問題，或者因爲驚嚇，弄得神經錯亂。要是持地藏菩薩聖號，地藏菩薩就像良藥似的。或者有疾病的人，能遇著良醫，這是佛跟無垢生天帝釋說的話；乃至於所有與會的大衆，和這個大集會所有的諸菩薩諸聲聞衆，佛就向大衆說，地藏菩薩就有這麼多功德，讓羸老的人，有手杖一樣可以依憑，就像疲倦的人有床座一樣的，可以使你休息。

「度四流者爲作橋梁，趣彼岸者爲作船筏，是三善根殊勝果報，是三善本所引等流，常行惠施，如輪恆轉，持戒堅固，如妙高山，精進難壞，如金剛寶，安忍不動，猶如大地。」

「度四流者爲作橋梁」，橋梁是比喻，四流是說在生、老、病、死這個瀑流之中，他給你作橋樑，讓你得度的意思，當你在此岸要到彼岸的時候，他可以作你的船筏，是三善根殊勝的果報。三善根是指不貪、不瞋、不癡，因爲不貪、不瞋、不癡能生一切善法。如三善本所引的等流，「三善本」就是布施、慈悲、智慧，布施慈悲可以讓你渡過一切的厄難，也把貪瞋癡的煩惱流入於布施慈悲裡，因此就常行惠施，如輪恆轉，無有休息的意思。

因爲持誦地藏菩薩、恭敬地藏菩薩，這位菩薩能夠讓你持戒堅固，就像妙高山那樣子，「精進難壞，如金剛寶，安忍不動，猶如大地。」說到精進難壞，這是很不容易的事情。如果我們修一法，例如念《地藏經》，或者觀想地藏菩薩聖像，當你修行的時候，會有很多障礙，障礙的意思就是讓你做不成的意思。你每天誦一部《地藏經》，不過總是有些事情，讓你中斷不能誦經；如果堅持念地藏菩薩的聖號，使它不間斷，任何的破壞也破壞不了你的精進，爲什麼破壞不了？你有一種堅固的心力，我們往往是有一些障礙就克服不了，做不到，這個時候精進跟懈怠兩者有很大的關係，特別是學佛的人，信佛的人，得不到實在的利益，是我們的精進不夠，不能堅持。

我們要發願，一天誦一部《地藏經》，在任何困難的時候，都不間斷，那麼精進就有力量。爲什麼要精進呢？也就是不中斷，很多人做不到，這看來是很小的事情，例如說我一天要念一百聲的地藏菩薩聖號，我想這個很容易，不會斷，你自己的意識忘了，或者一個閒岔，今天就沒有做了，我想每位道友都有這種體會。

當你最初發願信三寶之後，我跟很多道友講過，受了三歸依，從這天起，每天晚上臨睡覺的時候念十聲「歸依佛」、「歸依法」、「歸依僧」，念完了再睡，早晨眼睛一睜開，就在床上先念十聲「歸依佛」、「歸依法」、「歸依僧」這樣極簡單了吧！每個人認爲自己絕對做得到，我問了很多道友，當初他受三歸依時，他保證做得到，隔一年再問他：「你有沒有做？是天天做？」「哎呀忘了！」什麼原因？當然是我們經常的推拖，業障懈怠，沒有把這件事當一回事。

像上面說的這麼多地藏菩薩功德，就是佛跟無垢生天帝釋說的。我們聽到之後，有沒有這個信心？這就是大問題。我們往往聽經聽了很多，學法也學了不少。很多道友經常說：「我對佛法知道太少，所以不能入門。」我的看法不是這樣，我說：「你知道的很多！」起碼你知道什麼叫佛，法，僧。不會用功？念地藏菩薩總該會吧！念觀世音菩薩總該會吧！你有念嗎？你一天念了好多聲？一天二十四小時，除了睡眠、做事的時候，你心裡緣念三寶又有好多時間？

今天有好多道友共同吃飯，我心裡就想，在這個時候東說西說的，就是不說佛，不說法，不說僧，如果你隨時這樣來提醒大家，他認爲你很討厭，太囉嗦。有沒有這種感覺？你不說，他就是忘了。你一天二十四小時在緣念三寶的時候，到了晚上休息時，想一想：「我今天有多少時間念佛、念法、念僧？」你說求感應、求加持，感應、加持都是你自己。我記得星雲法師說過，人生最大的敵人就是自己，這句話很有道理。我們若能夠這樣子觀想，長時間觀想，不說二十四小時，就是三分之一，八小時，乃至於一天能有四個小時，緣念三寶，精進不懈，絕對不會墮三塗的；你再增加八小時，再加十二個小時，一定能成道業的。

我們爲什麼不明？爲什麼不通？爲什麼不知道？爲什麼沒有智慧？爲什麼入不了定？因爲你的心跟三寶還是有很遠的距離，我說這句話大家可能聽得很不入耳。因爲我信佛很多年了，現在天天念佛，我是專業的，有時候在大家聚會當中，突然間就想起了，現在大家在幹什麼呢？是在說佛呢？是在說佛法呢？是在修行呢？是在放逸懈怠嗎？想要像金剛一樣安忍不動，像大地那樣，我們還得多用些功夫。

「靜慮深密，猶如秘藏，等至嚴麗，如妙花鬘，智慧深廣，猶如大海，無所染著，譬太虛空，妙果近因，如眾花葉，伏諸外道，如師子王，降諸天魔，如大龍象，斬煩惱賊，猶如神劍，厭諸諠雜，如獨覺乘，洗煩惱垢，如清淨水，能除臭穢，如疾飄風，斷眾結縛，如利刀劍。」

「靜慮深密，猶如秘藏」，靜慮就是思慮，也就是在自己靜下來思慮的時候，這就是甚深境界，這是不可思議的。例如我們隨便持哪一個咒，長咒就是陀羅尼，短咒就是三個字、四個字，眞言只說一個字，例如「嗡」字，很多字都是種子字，看是哪一位菩薩所傳的。地藏菩薩就有這些功德、這些功力，能夠讓我們「等至嚴麗，如妙花鬘，智慧深廣，猶如大海。」這是佛讚歎地藏菩薩的語句。

「無所染著，譬太虛空」，太虛空是無所染著的，虛空是無所染著的，過去的妙果是由他修因說的，現在所修的因是成就未來的妙果，「妙果近因，如衆花葉」，像開花結果的時候，因爲還得用枝葉來扶持它。好花還得綠葉扶，你的種子種下去了，先長葉子，後來才開花。葉子要吸收營養，那是有關係的。降伏一些外道，像師子王降伏一切天魔，「如大龍象，斬煩惱賊」，猶如神劍，神劍就是智慧劍。

「厭諸誼雜，如獨覺乘」，獨覺呢？他要找寂靜深山的地方修行，厭離喧嘩。「洗煩惱垢，如清淨水」，這兩句是上句對下句的，我們要想洗淨煩惱，地藏菩薩就變成清淨水，洗淨我們的煩惱；要想除去臭穢，如疾風，把臭穢飄走了。「斷衆結縛，如利刀劍」，結縛是指我們的惑業，無量劫來的惑業，把我們縛住。就像我們身上好多的枷鎖綑綁，解不開。

「護諸怖畏，如親如友，防諸怨敵，如塹如城，救諸危難，猶如父母，藏諸怯劣，猶如叢林，如夏遠行所投大樹，與熱渴者作清冷水，與飢乏者作諸甘果，爲露形者作諸衣服，爲熱乏者作大密雲，爲貧匱者作如意寶，爲恐懼者作所歸依，爲諸稼穡作甘澤雨，爲諸濁水作月愛珠。」

「護諸怖畏，如親如友」，生起恐怖了，我們的親人、朋友會幫我們解除困難的。防怨賊，怕怨賊來攻我們，那就修城，城外修壍，壍就是護城河，這都是比方的意思。「救諸危難，猶如父母」，任何人遇到困難的時候都會想娘的，都叫媽媽。人在臨死的時候，或者在最危難的時候，或是小孩痛苦的時候，大多數是喊娘的，只有我們的父母，才關心我們，地藏菩薩就是像我們的父母那樣子似的保護我們。

「藏諸怯劣，猶如叢林」，在那麼一片大森林裡，有什麼恐怖就逃難到裡面去躲避。「如夏遠行所投大樹」，像走遠路的時候，被太陽曬得很痛苦的時候，走到大樹下去乘涼。地藏菩薩就像大樹給我們乘涼，要是熱惱又很渴，那麼地藏菩薩就像清涼水那樣子似的；還有飢渴貧乏，作諸甘果就是很美妙的飲食。沒有衣服穿，「露形者」，地藏菩薩就施捨衣服給我們。

「爲熱乏者作大密雲」，很熱惱的時候，像密雲把太陽一遮住，我們立時就感覺清涼。

「為貧匱者作如意寶」，如意寶，如窮困者得到寶藏，就像地藏菩薩手裡的寶珠似的，能出現像如意這樣的寶貝。

「為恐懼者作所歸依」，害怕就歸依菩薩，他就心得安穩，不害怕。「為諸稼穡作甘澤雨」，到了乾旱的時候，莊稼長不好，地藏菩薩就給我們降甘雨，是那樣的意思。「為諸濁水作月愛珠」，我們這裡沒有這種珠子，這個月愛珠能夠把濁水變成清淨水，即使是很混濁的水，把月愛珠放下去，水馬上就清淨。

所以在混濁、不清淨的時候，一念地藏菩薩聖號，我們心裡就清淨了。在煩惱的時候，不得解脫，就可以到佛堂或者對著地藏像，靜坐一下，念地藏菩薩聖號，你會感覺到好很多，這都是形容地藏菩薩的功德。

「令諸有情善根不壞，現妙境界，令眾欣悅，勸發有情，增上慚愧，求福慧者，令具莊嚴，能除煩惱，如吐下藥，能攝亂心，如等持境，辯才無滯，如水激輪，攝事繫心，如觀妙色，安忍堅住，如妙高山，總持深廣，猶如大海，神足無礙，譬若虛空，滅除一切惑障習氣，猶如烈日銷釋輕冰，常遊靜慮無色正道，一切智智妙寶洲堵，能無功用轉大法輪。」

地藏菩薩能令我們的善根不壞。如果我們現在已經種下種子，有了善根，或者來生的善根不壞，又能遇到地藏菩薩，念地藏菩薩聖號，地藏菩薩就能加持你。地藏菩薩在《地藏經》上，對釋迦牟尼佛發的願，釋迦牟尼佛把末法眾生咐囑給他，他說：「只要在佛法之中，有一微塵一滴水那樣子的功德，我都能使他解脫。」他發了願，他要做。只要善根種下去，等因緣成熟，一定成長，現妙境界，令眾欣悅。

現在這個會上就表現了，他所現的都是很殊勝、很不可思議的境界，大家都生歡喜心，可以令一切有情生慚愧心，曉得自己爲什麼不能解脫？爲什麼不能積聚善業？爲什麼不能幫助別人？爲什麼自己的自私心那麼重？爲什麼這麼多的苦難加到自己身上？那就悔愧自己過去做的不對，沒有積福業，所以今生事事不如人。那麼，地藏菩薩就能幫助你，使你增長福慧，使你懺悔心強壯，使你能夠莊嚴，使你能夠除掉煩惱。如果是腹部不清淨，就吃一點瀉藥；就像我們有很多的煩惱，不曉得怎麼解脫，多念地藏菩薩聖號，念《地藏經》，你就能夠解脫，就是這個涵義。

心很散亂，就多念念聖號，念聖號是最好的方法。有時候我們念經，效果都不好，就念聖號，可以考驗自己的散亂心，也考驗你所具足的煩惱。念一百聲不行，就念一千聲；不行，就念一萬聲；不行，就念十萬聲；還不行，就念一百萬聲。這樣效果就產生了，我不是瞎說的，我自己就這麼做過的。我先準備念一千聲，不成，那念一萬聲，一萬聲還不成，念十萬聲，十萬聲不成，就念一百萬聲，那就行了。如果還不行，再繼續念，不定數量的念。但是，這只是為某一件事情，我想做某一件事情，想達到平安，想達到如意，自己要先測驗一下，那就念吧！最初念的時候，還會散亂，等你念到十萬聲、幾十萬聲以上，散亂自然就少了，這叫功夫，誰做都一樣。你們如是念，也如是這樣，誰肯去做，就這樣。但是你得放下，黑夜白日的念。你要定期限，或者二十天，念一百萬聲，我一天平均念好多聲，一定要做到，做不到你可以不睡覺，不吃飯，等做到了，也用不著不吃飯、不睡覺，你可以照樣的睡，還是這樣的念。

你要是學觀音法門，念觀世音菩薩也可以，念哪一個菩薩聖號都可以，只要你肯精進，肯用功，就能得到。這些都是用比喻的，講經說法，或者跟人家辯論，你沒有辯才，經常有障礙，人家問了，答不出來，那就多念地藏菩薩聖號，增長你的智慧。或者喝點地藏水加持你，那個時候對境能夠攝住你的心了，不然你對境攝不住心。境就是現象，面對一切現象，你能夠不動心。

「如觀妙色，安忍堅住」，妙色是什麼色？妙色是無色。這就深了，如觀妙色身，妙色身是無相的。舉個例子，觀地藏菩薩聖像的時候，我們借這個色相的色身，是假的；畫的或者是塑的，但是假的會生出眞的。眞的是什麼樣子呢？無相之相，妙色身是光明的，這樣觀久了，那光明跟你的光明，跟你的自心，跟你自性的地藏心，兩者相結合起來，安忍堅住不動。

總持一切法的、持無量義的深度，像大海那樣的智慧。神足就是神通，神足通，他的神足無礙，猶如虛空。虛空對一切都是無障礙，這就是地藏菩薩的功德，他的修行，證得很深入，把一切的障礙、煩惱習氣全斷了。斷的情況就像太陽照薄冰似的，太陽一出來薄冰全化了。

「常遊靜慮無色正道」，無色的正道是什麼？就是智慧，就是菩提道，就是無生法忍。無色，一切色相都沒有。眞正的道是無道，那麼就能夠得到一切智智。一切智是普通的，一切智智就是專指佛說的一切智慧。最殊勝的智慧就是一切智智，這時候才能夠轉最殊勝的不可思議的妙法輪，妙法輪就是使衆生一切的無明惑染都能消除。

「善男子，是地藏菩薩摩訶薩，具如是等無量無數不可思議殊勝功德，與諸眷屬欲來至此，先現如是神通之相。世尊說是地藏菩薩諸功德已。爾時地藏菩薩摩訶薩，與八十百千那庾多頻跋羅菩薩，以神通力，現聲聞像，從南方來，至佛前住，與諸眷屬，恭敬頂禮世尊雙足，右遶三帀，在如來前，合掌而立，以頌讚曰：」

佛就向無垢生天帝釋讚歎這位地藏菩薩，具足不可思議的殊勝功德。而他的眷屬，也就是長隨他度衆生的這一批人，那不是過數量的，而是有八十百千十兆頻跋羅來到這裡度衆生的菩薩。雖然菩薩還未到，但是他們就先現出了如是神通之相。「世尊說是地藏菩薩諸功德已」，無垢生天帝釋問爲什麼有這些瑞相顯現呢？佛就告訴他，因爲有一位菩薩叫地藏菩薩，帶著他的八十百千頻跋羅那庾多的眷屬，來到這個地方供養我；來到我們這個大集會隨喜功德，所以有這麼多殊勝的境相。佛剛說完了，地藏菩薩也就到了。

「爾時地藏菩薩摩薩，與八十百千那庾多頻跋羅菩薩，以神通力，現聲聞像，從南方來。」從南方來，當然是指佛在說法的時候，地藏菩薩從羅鄰山這個地方來。不過有的人解釋說，羅鄰山就是地藏菩薩的淨土。不過，如果是他的淨土，他應該就在羅鄰山住著，爲什麼還從南方來呢？地藏菩薩究竟在什麼地方住？遍一切處。哪個地方有地獄，哪個地方有苦難，地藏菩薩就在什麼地方住，從什麼地方來都可以。佛說完了，地藏菩薩以他的神通力，到了會場。

「爾時」正是佛對著無垢生天帝釋說完話的時候，地藏菩薩就與他的眷屬，現聲聞像，從南方來，來了就到了佛前住，來的時候先做個儀式，先恭敬頂禮世尊雙足，這就是我們每逢禮拜的時候都做的儀式。大家禮拜時，爲什麼兩個手掌要翻呢？雙手是接佛的雙足，就叫頭面接足皈命禮。兩手不要距離頭部太遠，因爲你的臉面跟你的手都趴在佛的雙足上，頭面接足，兩手接足，臉面就依著佛足，就是頭面接足皈命禮，皈命禮要頂禮世尊雙足。

佛在世說法的時候，我們到寺廟的時候，或者遇見塔的時候，一定要順繞三匝，也就是繞三圈。爲什麼寺廟大殿上的佛像要塑在中間？不靠在牆壁呢？因爲要繞佛，一進來一定向右繞，也就是佛所規定的順時針繞，繞了三匝而後頂禮。進來一定先繞三匝，三匝完了頂禮，頂禮完了在佛前坐。

但是這個時候地藏菩薩來了，到了佛前，繞了三匝之後而立，用偈頌來讚歎佛的功德。佛讚歎地藏菩薩，地藏菩薩又讚歎佛；地藏菩薩還沒有來就現神通，佛就讚歎他的功德不可思議。他到了佛的面前，恭恭敬敬頂禮佛之後右繞三匝，立在佛的面前合掌，讚歎佛的功德。

「兩足尊導師，慈心常普覆，安忍如大地，遍除瞋忿心。」

這是第一個偈頌，四句爲一偈，總共是三十四讚，也就是用三十四個偈頌來讚歎佛。「兩足尊導師」，就是福足慧足，給一切衆生作引導的導師，能夠引導一切衆生出離苦海。「慈心常普覆」，說佛的大慈心常拔除衆生的痛苦，給衆生快樂。慈心是給快樂的，普是普遍的，沒有遺漏、平等的。「覆」是蓋覆的意思，就是佛的慈心普覆一切衆生。

「安忍如大地，遍除瞋忿心」，安忍是忍受的意思，對一切衆生所有的惱害，所有一切不如法的事情，五濁惡世的種種災難，佛以大慈心，不但能忍受而且能拔除。佛本身是沒有瞋忿心的，衆生有瞋念，佛替他們除掉。普覆就是遍衆生的意思，也就是要遍除衆生的瞋忿心。瞋怒心就是瞋癡最厲害的一個，所以，衆生一念瞋心起，百萬障門開。這是是衆生的瞋恨心，稍微不如意就發脾氣，一發脾氣就把他的功德林燒了。這是第一個讚歎的偈頌。

「具殊勝相好，莊嚴諸佛國，能以諦慈悲，充滿一切土。」

佛的相貌是具足的，不在人天間而具足無量莊嚴相好。這個相貌有兩種，一種是化身相，一種是報身相。報身相，像盧舍那佛，釋迦牟尼佛報身千丈圓滿，跟阿彌陀佛的無量光佛一樣，無量壽光是佛的報身相，諸佛的殊勝相，不論報身化身，都是殊勝的三十二相，八十種好，那叫人天相，佛有無量莊嚴相好。

「莊嚴諸佛國」，莊嚴一切的佛國土，諸佛國土可以說是娑婆世界釋迦牟尼佛的國土，也可以說是普遍法界的一切佛國土；佛佛都是莊嚴的佛國土，佛的慈悲不是愛見大悲，而是「諦慈悲」。諦就是眞理，所謂眞理就是眞心，也就是我們的實相，這個諦是指這個涵義。「諦慈悲」，如理的慈悲，而拔除一切痛苦，給一切衆生快樂。讓一切衆生都能夠明瞭自己的法性，讓一切衆生都能具足般若智慧，充滿一切佛國土。佛的慈悲是沒有分別的救度一切衆生，這是第二個偈頌。

「永絕諸愛網，如實善安住，捨諸清淨國，度染濁眾生。」

這是讚歎釋迦牟尼佛。成佛，得到究竟清淨，愛欲是永遠沒有了。這個網字是形容詞；愛欲的愛就像那網似的，想找個起頭也找不到，掉到網裡面就出不來的意思。佛已經永遠斷絕愛欲網，不但他自己斷絕了，他還要斷絕一切衆生的愛欲網。能夠證得眞實的實際理體而善安住，常住於寂靜無爲的境界，也就是涅槃。我們說：「他安住在常寂光淨土！」這麼好的地方，佛不住，「捨諸清淨國」，捨他的實報莊嚴土，常寂光淨土，來到五濁惡世度染濁衆生。這個世界的衆生染垢是很重的，佛是爲了度他們而來的。這是讚歎佛的功德，佛的功德不可思議。

「本願攝穢土，成熟惡眾生，起堅固正勤，久修諸苦行。」

佛在這娑婆世界度衆生，很不容易，這是他本來的願力，他初發心時的願力。說將來成佛的時候要度最苦的、最髒的衆生，要到那個地方去；那些衆生是具足一切惡見的，剛強難調難度，我要把他們都成熟了。那不是輕易可以做得到的，必須經過無量劫的勇猛精進，勤修不息，堅固正勤。「久修諸苦行」，修苦行就是能夠示現跟衆生同類來修苦行，示現作榜樣，在苦難當中修，才來成熟衆生的。下面是重覆的。

「久修諸苦行，聞生悚懼心，修諸施戒忍，及精進定慧。」

修六度萬行，布施、持戒、忍辱、精進、禪定、智慧，就是六波羅蜜。怎麼成就六波羅蜜呢？修無量的苦行。所以，釋迦牟尼佛說這個娑婆世界上，沒有一個微塵不是佛捨生命的地方。普賢十大願王的第八大願，佛是怎麼樣來這個世界度衆生的？他書寫經典的時候發願利益衆生，沒有紙，就把身上的皮剝下來作紙，把骨頭當作筆，把身上的血當作墨，他是這樣的書寫經典。

我們在學經的時候，要生起這樣的恭敬心，想到佛過去爲了度我們，他所修的這些苦行；我們一聽到這樣的境界，就會生起畏懼心。投身飼虎，割肉餵鷹，像這類事情我們都是聽說的，想起來會產生悚懼。佛修的布施、持戒、忍辱、精進、禪定、智慧，不是那麼容易得來的，不是一天兩天，而是久修得來的。

「曾供事無量，佛菩薩聲聞，及濟諸有情，飢渴病死者。」

上求下化，向一切諸佛求法，供養一切諸佛，供養賢聖僧。還要求度衆生，「下化」就是濟度一切有情，捨自己救他人。

「本爲他有情，自捨多身命，本爲正法故，捨多骨血皮。」

爲了利益衆生，自己捨自己的身命，利益他人，這跟我們恰恰相反的。我們往往是爲了保護自己的生命，卻傷害了別人的生命。口裡說我爲了大家怎麼樣，其實是大家爲了我。古來說那些話的將軍都是一樣的，以前有句詩：「一將功成萬骨枯」。一位將軍成名了，你曉得死了好多人才成就他？在戰場上犧牲好多人才成就他，這是業。但是佛恰恰相反的，為了有情衆生，捨自己多生的身命，這不是一生、兩生。佛曾經為了一個衆生，用好多劫，捨自己身命救他。為了求正法，保存正法，可以用自己的皮來做紙，用骨頭來做筆，用血來做墨，書寫經典，在普賢菩薩第八大願裡頭就是這樣說的。

「棄捨自安樂，悲愍諸有情，專為諸有情，勤修斷惑網。」

他不為自求安樂，專為衆生得幸福，就像觀世音菩薩似的，每一位菩薩、每一位佛都如是。極樂世界雖好，觀世音菩薩不在極樂世界住，而是到娑婆世界度衆生。釋迦牟尼佛的華藏世界是清淨國土，他到華嚴世界示現，到娑婆世界度苦衆生，其他的諸佛壽命有八萬四千歲的，有八萬歲的，有四萬歲的，釋迦牟尼佛的壽命只有一百歲。

「善護於六根，恆遠離諸欲，觀有為無常，苦空無我性。諸苦業增長，皆貪愛為因，故先於六根，永斷諸貪欲。」

佛看見衆生的苦業在增長，爲什麼會增長苦業？是因爲貪愛，以貪愛爲因，感到苦業的苦果。你應當認識到，好好護持你的六根。六根是眼、耳、鼻、舌、身、意，善護不要放逸，不要造罪，不要起種種的貪欲，遠離一切欲。觀一切有爲法，世間一切法，凡是有形有相的，這些有爲法都是無常的，觀一切法是無常，觀一切法是苦，觀一切法是空。

苦業增長，你知道這個苦果是怎樣來的？是貪愛爲因，由貪愛來的。所以在眼、耳、鼻、舌、身、意六根門頭，要是把貪欲斷了，苦業就不會增長，苦業不增長，你就不受苦。佛在這裡示現教育一切衆生，讚歎佛在因地以這種方式教導化度衆生。

「普於有情界，常安住大悲，雖得勝菩提，而不捨本願。」

這是讚歎佛在有情界，常時的發大悲心，看著有情衆生苦難。雖然佛已經證得殊勝的菩提果，但是他本來的願是利衆生的，不捨本來的願力，所以還來這裡度衆生。如果從理上講，佛度一切衆生無衆生可度，我們現在先講事不講理，因爲地藏菩薩讚歎佛就從我們衆生所能體會到的事開始。我們是怎麼來的？我們就是這麼來的，這就叫十輪。十輪是苦輪，要斷這個苦輪，就得修佛的智輪。以智輪來對治苦輪，兩者對比，地藏菩薩在讚歎佛的時候，很簡略地提個名詞而已。爲什麼不說？他知道一切諸法皆是空的，皆是假的，但是衆生不知道，衆生是眞苦。

「隨見諸有情，逼切在衆苦，隨起勤精進，勇猛而濟拔。」

他見到了一切諸有情，被苦楚逼迫，的確在諸苦當中。所以佛就勇猛精進，來濟拔這些受苦衆生。因此就給他們示範，希望他們勤修布施，要持戒，要忍辱，要精進，要修定，要求般若智慧。

「令勤修施戒，忍進定般若，如母於一子，慈心而養育。」

「如母於一子，慈心而養育」，就像媽媽只生這麼一個孩子。母親的整個身心，就是爲了這個孩子，愛護、養育這個孩子，這是母愛。至於現在有的母親把兩個孩子都殺死，推到海裡，那是特殊的現象。現在，這個社會的業障太重，才會產生這些現象，這是業障特重。一般而言，母親愛孩子的心，百分之百都是眞切的，現在的人，都有點打折扣。有人舉這個例子，媽媽殺孩子也多，子女殺父母的更多，這就說明了這個五濁惡世是到了業障極深重的時候。因此佛精勤眞切要想成佛，就是想要度衆生。

「本於有情類，常住普慈心，故速證菩提，度脫無量衆。」

佛是爲了衆生才修佛道，爲了衆生才成佛，成佛了好度衆生。

「本修菩提行，無不爲衆生，故今於有情，不捨於六度。昔常於末世，求無上菩提，今還末世中，速成無上覺。」

佛是永遠不停地度衆生，精勤不息。爲了衆生才修菩提行，爲了衆生才修佛道，成了佛道，還是要度衆生，度脫無量的衆生。在地藏菩薩讚歎佛的時候，佛並不是我們所看見的釋迦牟尼佛。從發心、證菩提、度衆生、成佛、入涅槃，地藏菩薩所看見的不是這樣，是成了佛度衆生，度了衆生又成了佛，成佛又示現做衆生；做衆生又修，又修又成佛，這麼不停的度衆生的佛。這幾句話就是這個意思。

「調伏諸惡見，天龍人藥叉，安住能斷惑，如金剛聖道。」

惡見，邪惡之見很難調伏。現在我們常遇到，你跟他說好的善道，他聽不進去，他的惡見是不可思議。什麼叫惡見？我們可以經常聽到的，我們說殺人不對，他說：「殺人爲什麼不對？我不殺他，他要殺我。」或者他也沒有殺你，他就是搶錢、殺人。我們看見無頭的屍，或者無名的屍，不知道是誰殺的。殺了丢棄的，你要找原因，爲什麼？台灣的青年人，飆車族，騎到車上，他就往人家開車的開槍；看不順眼，一刀就殺過去，什麼冤仇也沒有。這是什麼業呢？這是現在衆生的共業所感。這種見地，是不是惡見？你問他爲什麼要起這種看法呢？對自己有什麼好處？他也無所求，因爲殺人是快樂嗎？這叫惡見。要想調伏這些惡見，大家想想看，好調伏不好調伏？他聽不聽勸導？很難。

藥叉就是夜叉，我們經常說是藥叉。夜叉是魔鬼，但是還是有好的，有善類的。夜叉大將，他是有護法的。人、天、龍也有惡的，都是有善有惡。調伏這些惡見，來制服這些天、龍、人、藥叉，惡的那一方面。

「安住能斷惑」，讓他們斷了惡見，安住於善道，安住於金剛聖道，那需要多大的力量？所以，只有佛與諸大菩薩才能來調伏。這也要有緣，也要有善根。在佛經裡有那麼多的菩薩、那麼多的諸佛，有的人連名字也沒有聽到，連耳根聞一下的因緣都沒有，又怎麼能調伏他呢？像我們周圍的六親眷屬，大家都有愛心，對自己的子女特別有愛心。但並不是你一說，他就聽了，要是那麼好度的話，現在就沒有惡衆生。我到台灣土城監獄，看到重刑犯都是年輕人，把他送到裡面，那樣的管教他們，他都不聽了；你用善心勸他，他就會聽你的？你想讓他聽你的，得有大威力，你自己修的德要足夠，德不夠不行。「德不足以服人，威不足以治人。」怎麼讓他聽你的？所以要靠我們自修。佛就是先自修，這是地藏菩薩讚歎佛的。

「授無量有情，得勝菩提記，成應供導首，最上良福田。」

這是好的。無量的有情衆生，發心行道，勤修六波羅蜜，佛就給他勝菩提記，說他將來一定能成佛，將來一定能成得應供、正遍知、明行足，跟一切衆生作引導，給一切衆生作最上的良福田，也就是成佛了。

「世尊無等侶，普覆諸群生，無量大名聞，充滿十方界。」

能跟世尊相等的一切同侶，那就是一切諸佛。沒有超過佛的也沒有跟佛相等的；只有佛才能夠普度一切諸群生，一切衆生。佛都能夠普覆他們，普覆的意思就是能夠給他們滋潤，使他們成長，成佛。像佛這種名聞，名聞遍十方，十方界都知道釋迦牟尼佛，這就是佛的大名聞。乃至於佛的十號，如來、應供、正遍知……………，這十號是佛佛道同的。

「是故諸菩薩，爲成就己事，咸共來歸依，大牟尼足下。」

菩薩就是菩提薩埵，覺有情。十方法界這些發大心的、想利益衆生的菩薩，想讓一切有情都覺悟發大菩提心的人，成就自己，成就佛的事業，好去度衆生的，都來歸依釋迦牟尼佛。「咸共來歸依，大牟尼足下」，來歸依於世尊的足下，就是釋迦牟尼佛，大寂滅者就是大涅槃者，「牟尼」就翻「寂滅」。

「聞所說妙法，皆生歡喜心，起增上正勤，修習菩提行。」

來歸依佛，就是來求說妙法，什麼是妙法？《妙法蓮華經》也是妙法，《金剛經》也是妙法。「妙」就是不可思議，很微妙的，我們心裡頭想不到，議論不出，那就是「妙」。規律，規繩，這是「法」，是讓我們能夠明白，換句話說，就是開悟。沒有開悟，佛未說，我們不明白，佛一說，我們就明白了，這叫妙法。我們不知道苦怎麼來的，佛就跟我們說苦是集來的，招感來的，有因才有苦果。要怎樣出離呢？他說要修道，修道證了寂滅，苦果就斷了，這就是妙法。如果沒有智慧，多起觀照多起思惟，對一切事物，不懂的要學，這朵花是怎麼產生的，爲什麼是黃顏色，隨便舉一個事物，我們不明白的事太多了。以佛的智慧來教導我們，這都叫妙法，這是不可思議的。但是這個妙法是說生死證涅槃的法則。

聞佛說這種妙法，就生大歡喜心；衆生生了歡喜心，就正正當當的、勤勤奮奮的修學，要生起增上的正勤，「起增上正勤」。現在我們雖有正當的勤修，但是還是不夠增上。再增加力量，再增加你的勝心，增加你的精進心。你有了出離心，又加上增上心，要作什麼？修習覺發菩提心，也就是修習覺悟的性門，怎麼樣去做？

「由導師法力，皆速證菩提，故今者導師，大集未曾有。」

這些聲聞僧、菩薩僧，都由導師的法力，使他們很快的證到究竟果。菩提就是指究竟果。所以，我今天在這兒讚歎佛，現在這種大法會眞正是未曾有，所以我來隨喜了。

「十三兆藥叉，恆噉諸血肉，皆捨諸惡業，速趣大菩提。」

有什麼證明嗎？在這兒他舉個例子，地藏菩薩一到，就知道這個法會有好多人得度，好多人聞法開悟了，在這個大集會當中證了菩提。他舉出一個數字：「十三兆藥叉」，這些夜叉、藥叉都是吃血肉的，恆噉衆生的。

在這個大集會當中聞了佛的妙法，十三兆的夜叉，他們不再造殺業，不再惱害衆生。「皆捨諸惡業」，惡業捨掉了，「速趣大菩提」，這是我們經常所說的「放下屠刀，立地成佛」。在這個大集會裡，就有十三兆的夜叉，不再造殺業，不再隨業流轉，把業捨掉，趣向佛果。

「有得勝總持，安忍及靜慮，有永盡諸漏，應供世間尊。」

地藏菩薩一到這裡來，以他的智慧力量就瞭解那些過數量的聲聞僧、過數量的菩薩僧，有多少人證得菩提，多少人發菩提心，多少人住四攝法。地藏菩薩智慧是很大的，他一到這裡就知道有這麼多人。我一個也不知道，我沒有智慧，所以我們還是苦衆生。地藏菩薩剛一到這兒，從經文的敘述看，前面佛讚歎地藏菩薩功德，地藏菩薩也讚歎佛，也把法的殊勝說出來了。佛在這兒說的妙法，有十三兆藥叉放棄了他們的殺業，從最惡的轉變爲最善的。還有，得了好多陀羅尼，證了好多陀羅尼果，得了甚深的禪定，諸漏永盡了，有的成了佛。「應供世間尊」，就是在這個大集會裡好多成佛的，好多放下屠刀的，好多得總持的，好多得了六波羅蜜的，有這麼多殊勝因緣。我們還沒有證得，就隨喜一下，希望大家都得到這個勝總持。

「有修四無量，有住四攝法，有得四辯才，有安住順忍。
有得健行定，有得妙慧眼，有住無生忍，皆由導師力。」

這是地藏菩薩讚歎佛的一些讚美詞，我們從這些讚美詞就可以看出來菩薩的智慧。一般我們都是照著經典上來讚美菩薩、讚美佛。如果我們自己編一個讚美詞，恐怕也讚歎不出來。這些讚美詞，包含著很多涵義，有的是佛在因地當中所修行的，有的是在果德上表現的；有的是讚因，有的讚果，說這個妙伽陀，這種不可思議的讚歎的語言。

四無量是指慈悲喜捨四無量心。四攝就是佛在因地當中用極好聽的語言來攝受一切衆生。聽到他的語言，心裡生歡喜，之後，就入到佛門，或者跟他示現同事，或者示現布施。因此每一個讚美詞的當中，就含攝著佛在無量億劫所做的事。那麼，我們聽到這個名詞，感覺好像很容易，但是我們做起來實在很難，因爲我們有忌妒心。看見別人做好事，心裡就生忌妒，不但不讚美，如果別人讚美的時候，還要從中說幾句破壞的話。那有什麼了不得？誰做不到？我們念這個讚美詞，心裡常作如是想，生起慚愧心。

要學著佛菩薩如何讚美；若是表揚這個弟子，讓大家生起一種殊勝感，向他學習的時候，好好稱讚這個弟子，稱讚的語言，恰如其份的。感覺菩薩讚歎佛的時候，都是讚歎不夠的，除了像地藏、文殊、普賢、彌勒、觀音，這些大菩薩要讚歎，他們能夠說盡佛的功德；因爲我們沒有那麼深的體會，像我們要說佛的功德就讚歎不出來，讚歎得不盡。

這個是地藏菩薩的讚歎。從前面到現在都讚歎什麼呢？說：「佛，你眞了不得，我看到這個大集會上的這些人，在這個中間得到了法的利益。」他是讚歎佛來教化這些人，這個會不是大集嗎？不是過數量的聲聞僧，過數量的菩薩僧嗎？他們在這個法會當中所得到的，有的因爲佛教導，修四無量心；有的因爲佛的教導，修四攝法；有的因爲佛的教導，在這法會中得四無礙辯。

什麼叫四攝呢？就是布施、愛語、利行、同事。什麼叫四辯才呢？法無礙、義無礙、辭無礙、辯無礙。這裡面還有一個「健行定」，健行定就是首楞嚴三昧。法相的名詞是牽涉到每一部經的，每一部經都是這樣的意思，你們大家自己看一看，這都不是屬於我們所要講的經的主要義，主要義是什麼呢？我們要修行；依照《十輪經》，我們要怎樣修行？修行就是你怎樣做觀想，我們如何能修定，如何能開慧。特別是「數、隨、止、觀、轉、淨」，雖然是六個字，這裡面的涵義太多了，我們可以從入門的觀想一直到能夠得到定。

「妙慧眼」，這是讚美佛。說在這個會中就有這麼多人，得到這麼多的益處，還得有智慧眼，正法眼藏得妙慧眼。有的人得到了無生法忍，無生法忍是證得法性，證得理體，能夠了解悟入一切法無生。忍字就是認可的意思，有的住在無生法忍，爲什麼有這些力量呢？會中的道友們爲什麼有這些力量呢？皆由導師力，就是佛教導的力量。

「世尊大威力，摧滅眾魔怨，降伏諸外道，九十五異類。」

在這個法會的大眾，還有些障礙，有怨敵的干擾，以佛的威力都摧伏了。還有「九十五異類」，也就是外道。

「盡地獄旁生，餓鬼非天趣，故眞實有情，咸歸尊足下。」

還有「地獄、旁生、餓鬼，非天趣」，指的不是天上的，也非人趣，這裡是專指阿修羅說的。他雖然有天人之福也是天道，但是他跟天人不一樣，這裡是指六道衆生，地獄惡鬼畜生。天人阿修羅，這就包括了六道，所有在大集的會衆，都能夠歸依佛的足下，都能歸依佛足。「咸歸尊足下」，就是指佛說的。

「今者息刀兵，疫病飢饉劫，度迷失正道，盲冥諸有情。」

如果有刀兵劫，假佛的威力，刀兵劫息滅了。如果有流行的病苦，或者有飢饉，或在這個壞劫當中，許多衆生失去了正道，但是佛都把他們度了。「盲冥諸有情」，或者處於黑暗當中的，這個冥本來是主黑暗，但是那個人神經不正常，就像永遠處於黑暗當中。像這類有情，處於黑暗當中，所謂有眼看不見，因爲身上沒有光明看不見，所以說盲冥是一種形容詞。

「諸煩惱狂亂，皆安寂滅道，故我捨諸緣，來禮敬尊足。」

還有一些是煩惱狂亂的。狂亂包含很多意思，正道不信，沒有正知見，邪知見可不少。讓這一類的人安住於寂滅道，這個力量就很不可思議了。因爲我見到在這個大集會上有這麼多的功德，這麼多不可思議的好處，「故我捨諸緣」，這是地藏菩薩說的：「我把一切因緣全放下了，把其他的緣全放下，來頂禮佛。」這是求加持的意思，「來禮敬尊足」。

「無邊諸佛土，現在諸導師，咸廣讚世尊，聞者皆來此。」

這是地藏菩薩稱讚的，我所見到的無邊佛土，有好多佛教化的國土，在各個的國土當中的諸佛，他們都讚歎釋迦如來不可思議的功德，都在讚歎世尊。爲什麼呢？你在五濁惡世，最苦的地方度衆生，所以聞到的，聽到的，沒有不生大歡喜的。

「我聞遍知海，眞實德無邊，度脫諸有情，心歡喜敬禮。曾修無量福，今得禮尊足，願無量劫中，常修多供養。」

拜懺的時候有這麼幾句話，以前我找不到出處，後來看《十輪經》才知道出自這裡，這是蕅益大師從這裡摘去的，《地藏經》上沒有，《占察經》也沒有。

「遍知海」是指佛說的。我所了解的佛，知道佛的智慧，所說的法音，能夠解除一切衆生的苦難。佛有眞實的德，前面是諦德，就是稱眞而起的德，叫「眞實德」。這個「眞實德」，因爲性體遍一切處故，那個德也遍一切處，是無邊的。乃至於「度脫諸有情」，「度」是佛的教化，「脫」是衆生脫離苦難，可以度脫的。這些有情衆生，他們脫離了苦難，得樂了，心裡生起大歡喜了，能夠禮佛，能夠見佛是不容易的，沒有修無量的福德，想禮佛是禮不到的。

「曾修無量福，今得禮尊足」，我們之所以能夠拜懺，是多生累劫修來的，不用說天天拜懺，你若到廟裡叩個頭，都是不可思議的。《法華經》：「若人於塔廟中，單合掌小低頭，皆已成佛道。」有的時候說，「佛道皆已成」。《法華經》中是「皆已成佛道」。有些人只從文字上說，到這個塔廟裡頭單合掌，點點頭，就已成佛道。

有一個廈門大學的老師，他就問過我這個問題，他問：「我天天來禮佛，不只單合掌，我是雙合掌，也沒有成佛！這句話有毛病。」我跟他解釋說：「這句話一點兒毛病都沒有，凡是到了塔廟中的人，能夠單合掌，小低頭，已經成了佛；由這個來證明，你現在來了，能夠見到佛像，單合掌，將來一定能成。可是並不是現在你已經成佛了，而是過去諸佛在因地當中種善根的時候，是這樣種的，所以他已經成就佛道。證明現在，不論哪一位能夠見到佛像，能夠單合掌，小低頭，將來一定能成，是從過去的來證明現在的。」所以若是過去沒有修過無量福，你現在不能夠禮佛，就是這麼一句話。我們不但禮佛，而且拜佛，天天拜懺，那就說明了我們過去是修了無量福，所以要發願，「願無量劫中，常修多供養」，就是能供養世尊。

「我今學世尊，發如是誓願，當於此穢土，得無上菩提。」

「我」，就是地藏菩薩自己稱的。世尊過去的時候，就是這樣發願的，釋迦牟尼佛最初聽了五十三佛的名字，他就輾轉向人家傳頌，那就是現在的三千諸佛，也就是我們念經的時候未來的星宿佛，現在的賢劫佛，過去的莊嚴劫千佛。三劫三千佛就是最初聽到五十三佛的名字，種了善根漸漸修行都成佛了。地藏菩薩是自謙的，他說：現在也向佛學，也發諸個誓願，像佛今天這個大集會一樣，自己也是在這個五濁惡世的穢土，在不乾淨的國土中修行，障礙非常多，在這個地方修行，證得無上菩提。釋迦牟尼佛發願，多生多世就在因地當中成就的。

「爾時地藏菩薩摩訶薩，以妙伽陀禮讚佛已。」

地藏菩薩是邊禮邊讚，一邊讚歎，一邊頂禮。就像我們拜佛的時候，也是讚歎，作禮。我們不會作偈子，就把諸菩薩讚佛的偈子拿來念。像在普賢頌裡，讚歎佛的偈子很多，都可以用來讚歎佛。還有用懺罪的念法，不是純粹讚歎佛的功德，還要懺自己的罪，每個人都要把自己的業障消除了。我們在拜佛的時候，一邊拜，一邊心裡想：「願消三障諸煩惱，願得智慧眞明了，普願罪障悉消除，世世常行菩薩道。」一邊念一邊禮，既讚佛，又懺罪、又發願，這都是大菩薩給我們做的偈子。

自己也可以作頌，作偈子，隨你自己的意願；你學了很多經了，自己想求什麼事？就編偈子自己讚頌。我們看宗喀巴大師讚文殊菩薩的偈子，像現在，宏覺法師講菩提道次第所念的那些偈頌，就是宗喀巴大師作的，願一切衆生都成佛，雖然只是念讚頌，其實就是修行。這是諸菩薩互相的酬唱。地藏菩薩來到這個大集法會，在禮佛的時候，一共說了三十四偈；從讚頌開始起，一共有三十四個偈頌。讚歎、禮拜之後，又上供養。

「與諸眷屬，復持無量天妙香花種種寶飾而散佛上，變成寶蓋，住虛空中，爲聽法故，即於佛前儼然而坐。」

這麼多眷屬，都用妙香花種種寶飾來供佛，這些物質，這些花寶，到空中變成寶蓋。寶蓋就像我們打傘那樣子，變成一個寶蓋罩在佛的上面。讚歎、禮拜之後，在「佛前儼然而坐」，也就是很愼重莊嚴的，到這個會上這麼一坐。

「爾時一切諸來大眾，既見地藏菩薩摩訶薩已，皆獲希奇，得未曾有，各持種種上妙香花寶飾衣服幢旛蓋等，奉散地藏菩薩摩訶薩而爲供養。皆作是言：」

原本來大集會的這些大衆看見地藏菩薩來，「皆獲希奇」，感覺到特別希奇，像這位菩薩讚歎佛的美妙讚歎詞，他們感覺很殊勝，也很受感動，他們都要供養這位地藏菩薩。

「我等今者快得善利，因佛神力，親得瞻仰禮敬供養如是大士。」

我們之所以會得到很大很好的利益，都是因爲佛的神力，才能夠瞻仰敬禮供養這位大士，也就是地藏菩薩。

「爾時眾中有菩薩摩訶薩，名好疑問。」

就在這個時候，會中有一位菩薩摩訶薩，名字叫「好疑問」，有疑則問。在《占察善惡業報經》上發起這部經的是堅淨信菩薩，發問的菩薩名字之所以稱爲「堅淨信」，表示我們都沒有信心；而他的信心非常堅定，希望讓大家也像他這樣堅定。現在這位發起的大菩薩，叫「好疑問」，好疑問大菩薩本身已經對地藏菩薩非常了解，所以他就給與會的大衆作代表，別人沒有智慧能問，堅淨信菩薩也是如是問。有時候誰都沒有問題了，那就由文殊菩薩來發問，好多經論是由文殊菩薩來發問的。凡是這種互相問答的時候，就能產生義理，使會中的大衆得到很多的利益。而這位好疑問菩薩是，有疑就問。

我記得永嘉大師有這麼幾句詞：「圓頓教無人情」，圓滿不可思議的教義，不是一般人所能了解得到，但是不能講人情，沒有人情可講。「有疑不決直須爭」，這個事我懷疑決定不了；「直須爭」，這樣爭沒有關係，不要人說啥我就說啥，他怎麼講我就怎麼聽，這是不對的，你必需問。「有疑不決直須爭，非是山僧爭人我」，我不是來爭是非的。「修行恐落斷常坑」，修行人不明瞭這個道理，不是落於斷見，就是落於常見，那就會墮於無量劫。

好疑問菩薩看到這種景象、這種變化，就起來向佛請問。

「從座而起，整理衣服，偏袒一肩，禮佛雙足，右膝著地，合掌向佛，而白佛言：世尊，此善男子從何而來？所居佛國，去此遠近？成就何等功德善根，而蒙世尊種種稱歎？復能讚佛不可思議功德法海？我等昔來未曾聞見，唯願為說。」

先是佛讚歎地藏菩薩，「蒙世尊種種稱歎，復能讚佛不可思議功德法海」，像這種讚歎，讚歎得不可思議，不是一般人所能讚歎出來的。怎麼從來沒有聽見過？我們未曾聞見這樣的大菩薩，從過去到現在未曾聽見過。「唯願為說」，請世尊給我們解釋解釋，給我們開示開示。有時候我們拜完懺，道友說：「師父，請開示開示」。開示什麼？你有什麼問題？你得舉出問題來？凡是你對佛請示、對佛像求，必須有願力，你得先禱告，有什麼目的。你先要有問題，不能糊裡糊塗叩頭說：「佛加持我吧！」就像你有什麼毛病，你要問醫生，得說一說你的病源！要有問題才發問。

「世尊告曰：止！善男子！如是大士功德善根，一切世間天人大眾皆不能測其量淺深，若聞如來為汝廣說如是大士功德善根，一切世間天人大眾皆生迷悶，或不信受。」

佛答好疑問菩薩說：「止」，就是我不答覆你，不要再問了。為什麼不跟你說呢？「如是大士」，這位大菩薩的功德，他所修的善根，不是一切世間天人大眾所能夠信受的，測量他的淺深，是測量不出來的。假使我把他的功德，詳細說了之後，有些人會生謗毀，或者生迷悶。迷悶就是不能理解。

「時好疑問復重請言。」

好疑問菩薩既然問了，佛不說，他還要請，再請。

「唯願如來哀愍為說。」

既然是這樣子，祈求哀愍一切衆生，給一切衆生說，說了，衆生就得福，得福就離苦得樂了。他就再請，凡是一請沒說的，我們再請。有時候佛是再請也不說的。三請，佛一定要說。一而再、再而三請，好多部經裡頭，都是一而再，再而三的請。《法華經》也如是，最先佛答應，剛一答應要說，頭座的五千人退席，他們就是不聽。還沒有等到說法，就退席了。念過《法華經》的道友就會知道了。

「佛言，諦聽，善思念之。」

既然是一再啓請，你就「諦聽」。前面是諦語諦見，這裡叫「諦聽」，佛每次答覆，就說「諦聽」。「諦聽」就是如實的，諦理而如實的聽，用你的心聽，不要用耳朵聽，用耳朵聽，從這耳朵聽進了又從那耳朵出去了，這是不可以的。「諦聽」就是要你思惟。光聽不行，還要善思念之，要好好的觀察。

「吾當爲汝略說少分。」

要想把這位大士的功德都說圓滿，恐怕不行，現在只約略的說一點點。少分就是很少。

「如是大士，成就無量不可思議殊勝功德。」

地藏菩薩這位大士，他成就了不可思議的殊勝功德，下面就是他的功德。

「已能安住首楞伽摩勝三摩地，善能悟入如來境界，已得最勝無生法忍，於諸佛法已得自在，已能堪忍一切智位，已能超度一切智海，已能安住師子奮迅幢三摩地，善能登上一切智山，已能催伏外道邪論，爲欲成熟一切有情，所在佛國悉皆止住。如是大士，隨所止住諸佛國土，隨所安住諸三摩地，發起無量殊勝功德，成熟無量所化有情。」

前面有一個問題，這位善男子是從什麼地方來的？他住在哪一個佛國土？離我們娑婆世界，離佛教化的國土有好遠？他如是請問，佛答覆說，這位大士所住的國土，哪一個佛國土都是他止住的地點，因此不一定是從南方來的。《地藏經》上說是從南方來的，但是在這部經上說，只要佛國土有地獄，只要有三塗都有他止住，隨他所安住什麼地方，他都住在三摩地。三摩地就是定，是妙定。我們再講他的殊勝功德。

「首楞伽摩勝三摩地」，就是首楞嚴三昧，過去的舊譯叫「首楞嚴」。玄奘法師依照原意翻譯，就是首楞伽摩勝的三摩地，前面的「健行定」也可以譯作「健相定」，這些事所作已辦。「究竟定」，這是最究竟。佛所證得的三昧，在《涅槃經》二十七卷中，「首楞嚴三昧」，有五個名字，第一個叫「首楞嚴三昧」，第二個叫「般若波羅蜜」，般若波羅蜜，就是首楞嚴三昧，也是現在我們經上所念的「首楞伽摩勝三摩地」。第三個名字叫「金剛三昧」，這是密宗所用的名詞。第四個叫「獅子吼三昧」，第五個叫「佛性三昧」，隨所作業，隨佛所作的每一個事業，都叫三昧，那就處處得名。但是從百八三昧之中，就是一個總的三昧。他已經能住到這個三昧，也就是住到這個定中。

他一清早起來，都在定中，用無量的定去度無量衆生。這個定到哪一個佛國去度哪一類衆生，就不一定。地藏菩薩就如是，每一個早晨，都要入無量三昧，度無量衆生，這就是佛所說的少分的、成就衆生的、不可思議的功德。爲什麼他有這麼多功德呢？因爲他得到了這麼多的三昧，他的定，就有二十三種。以下都是地藏菩薩所得的定，這是總說。

這位大士能夠悟入如來的境界，他跟如來是一樣的，他已經得到最勝無生法忍。無生法忍是指見了法性，登了地的菩薩。登了初地的菩薩，他是分分證得，一直證到最究竟的、最勝的無生法忍，忍可諸法無生。我們前面講過，這是很不容易的。我們認爲一切諸法都有生，我們也是把一切的緣起法當作眞實的，所以在我們日常生活當中，看到什麼都是眞實的。這座鐘是眞實的，這朵花也是眞實的，我們就不能夠知道這是無常的，不能知道這個諸法是無生的，這是因緣。因緣所生的法是沒有自性的，但是這不像我們說的虛空，這種無生就是無生者無不生，在諸法上就要生法性的本體。隨拈一法，無非法界。

對於這個問題，我將近有長達二十多年的時間不理解。《華嚴經》說的都是有，《華嚴經》從來不說空，華嚴就是有，像無邊世界，什麼都是無邊，什麼都是有，二十年之後，我才漸漸明白一點。

舉個例子，「一微塵裡轉大法輪」，一個微塵，佛在這裡頭說大法輪，「一塵中有塵數剎，一一剎有難思佛」，一個微塵裡頭有無窮無盡的佛剎，每一個佛剎，又有佛在裡面成佛，海會圍繞，有諸大菩薩。哪一個微塵能有這麼大力量？本身就是空的，所以在一微塵不是有，是般若智慧光明。昨天宏覺法師講的「照」，那一微塵就是照，就是智慧的照了，一照什麼都在內。沒有思念，沒有分別，不假分別，不假作爲，《華嚴經》都是這類的義理。有人說《金剛經》是空的，《華嚴經》是有的，這是錯誤的，《金剛經》不空，《華嚴經》也不有，《華嚴經》講的就是般若空，又不空。《華嚴經》就是這類的句子，這類的意思，要在那裡頭使你能夠悟得一切諸法。

男妓，過去也有男妓院，他們叫「相公」，在北京你不能叫人家「相公」，那是罵人的。那時候的北京，你若穿上青龍繞的靴子、脂膏、皮襖，人家一看就知道這傢伙是相公，也就是男妓。如果是女的，是妓女。《華嚴經》上說善財童子去參婆須蜜多女，她是妓女，大家都說這位童子這麼有道德，怎麼去找妓女？《華嚴經》是染淨一如的，你一接觸婆須蜜多女，你就開悟了。誰跟她一接觸、跟她拉拉手、跟她接吻，一擁抱就成道了，可惜我們沒有這個福報。我們見到她就跑了，跑了就得不到這個福報。我們是從分別心來看。

《心經》上講，「不增不減不垢不淨」，意思也是一樣。現在有一種叫

《華嚴經》境界是這種境界，整個都是般若智慧。像無厭足王，殺人無厭，你到他那裡去，善財童子一參他，心裡就起疑惑，這是善知識嗎？掛著人腿、人腦，那簡直是支解大觀，好像是到了醫院的解剖室。無厭足王是在度衆生，他就是讓你不要起分別心，要產生無分別智，這才是《華嚴經》境界，讀《華嚴經》，要這樣看。

《華嚴經》是什麼呢？完全是般若智，空有不二。你要理解空有不二才

能夠進入。所以無生法忍，知道諸法無生，無生也無滅。無生無滅，無形無相。凡是一切的形相，當體本來是空的。我們略說一下「無生法忍」，他與諸佛一樣能夠得到自在，眞正得到自在，他已經到了堪忍一切智位。這裡句句都是說地藏菩薩，他已經跟佛平等，已經成佛。他能超度一切智海，已能安住師子奮迅幢三昧門，也就是大悲法門。如幻的大悲法門，就叫師子奮迅三昧。

「善能登上一切智山」，這是形容詞，譬喻已能摧伏外道邪論。凡是心遊道外，心外取法，從究竟了義來看就是邪論，心外無法，一切法外也無心。

「爲欲成熟一切有情故」，因爲要成熟一切有情故，所以隨順示現善巧，隨便在哪一個佛國土，他都止住，那裡就是他的佛國土。所以，他前面問，所居何佛國呀？沒有。地藏菩薩是誰呀？他的佛國土如何？《地藏經》沒有說的，《十輪經》是這樣告訴我們的，凡是所有的佛國土，他都在那兒止住，如是大士，隨所止住的諸佛國土，隨所安住的諸三摩地，發起無量的殊勝功德，成熟所化的無量有情。

「如是大士，隨住如是諸佛國土。若入能發智定，由此定力，令彼佛土一切有情，皆悉同見諸三摩地所行境界。」

不論住哪一個佛國土，「隨住如是諸佛國土」，要入什麼定來度化一切衆生呢？以下共有二十三定。

如果地藏菩薩住這個國土，他就在這個國土入了「發智定」。住這個定力，由這個定力，就令這個國土裡所有的有情，同入這個發智的三摩地。以下是另一個定，另一個佛國土。

「隨住如是諸佛國土，若入具足無邊智定，由此定力，令彼佛土一切有情，隨其所應，能以無量上妙供具恭敬供養諸佛世尊。隨住如是諸佛國土，若入具足清淨智定，由此定力，令彼佛土一切有情，皆悉同見諸欲境界無量過患，心得清淨。」

他入了這種「具足清淨智定」，就顯現了欲的過患。欲包括很多，例如貪欲。但是，他是清淨智定，因爲清淨智定力量的關係，能令有情衆生認識到欲境上面的過患，能不貪著一切欲，不著欲念，心得清淨，就令一切有情得清淨。這是一種。

「隨住如是諸佛國土，若入具足慚愧智定。由此定力，令彼佛土一切有情，皆得具足增上慚愧，離諸惡法，心無忘失。」

要生起慚愧，要有智慧。我們拜懺，天天講無慚無愧，卻作很多錯事，一點慚愧也沒有，還認爲是正確的，那是欺騙，這是很顯現的。有的執著欲境，入了這種定力，慾望就輕了，乃至於斷了。所以他入了這個定，使這個佛國土與他有緣的衆生，心得清淨，能夠具足。

他入了這種「具足慚愧智定」的時候，這個佛國土的衆生都生起慚愧心。「慚」就是懺悔過去，「愧」是愧對未來，未來絕不再做。慚愧的涵義有兩種：要生起慚愧心，慚著你剛做的事太不對；愧悔，我今後絕不能再做了。

地藏菩薩在那個佛國土，用的是慚愧智定，由於這個定力的關係，能令這個佛國土的有情，都具足無上的慚愧，增長慚愧。諸佛菩薩，那些大菩薩自己也經常的慚愧，經常感覺著我跟佛還不能一樣，還不能夠馬上成佛。他也是有慚愧心，慚愧是有深有淺的。他不是請問地藏菩薩有什麼智力？爲什麼過去我們沒有聽到？佛跟他說：「你跟他無緣。」地藏菩薩是隨在哪個國土，入什麼定，度什麼衆生。

「隨住如是諸佛國土，若入具足諸乘明定，由此定力，令彼佛土一切有情，皆得善巧天眼智通，宿住智通，死生智通，了達此世他世因果。」

「諸乘明定」，或者聲聞乘、緣覺乘，或者菩薩乘，地藏菩薩依據這個諸乘明定，令一切有情能夠善巧，得到天眼通、他心通，了生死，死生智通達了。生滅義是無常，本來就沒有，依著在定力觀無常，這都是證得的般若空。總的來說，他能知道世出世間的因果。

「隨住如是諸佛國土，若入無憂神通明定。由此定力，令彼佛土一切有情，皆離一切愁憂昏昧。」

地藏菩薩在他所住的國土當中，入了「叫無憂神通明定」。由這個定力，能令這個佛國土的有情沒有憂愁，無憂無慮，明明靜靜，不昏不暗。昏昧就是黑暗，在黑暗當中還有什麼通？因爲不昏暗，所以他可以離一切憂愁，知道憂愁苦惱是假的，這是妄念紛飛。

「隨住如是諸佛國土，若入具足勝通明定。由此定力，令彼佛土一切有情，皆得具足神通善巧。」

神通就是心。神者就是天心，也就是我們自然的心，通者就是我們所有的智慧。慧，通明慧性，你以不可思議明淨的心，產生了一種方便善巧智慧，這叫神通。神通就是方便善巧，他一入這個定，這個國土的衆生，就具足了神通的善巧。

現在地藏菩薩住在我們這個世界上，每天早晨入「具足勝通明定」，我們有沒有得到神通善巧？既然是菩薩在哪一個國土中，一入什麼定，那個國土眾生就能得到什麼，地藏菩薩在我們這個國土住著，爲什麼我們還沒有得到呢？參一下吧！我們跟地藏菩薩有沒有緣？沒緣吧！現在我們念《地藏經》，天天念地藏聖號很有緣，地藏菩薩入這麼多定，爲什麼我一個也碰不到？參一下！你自己思惟、觀想一下，爲什麼？

「隨住如是諸佛國土，若入普照諸世間定。由此定力，令十方界離諸昏暗，令彼佛土一切有情，普見十方諸佛國土。隨住如是諸佛國土，若入諸佛燈炬明定。由此定力，令彼佛土一切有情，捨邪歸正，歸依三寶。」

「普照諸世間定」、「諸佛燈炬明定」，這兩種定大家都懂得，就不進一步說明了。

「隨住如是諸佛國土，若入金剛光定。由此定力，令彼佛土所有一切小輪圍山，大輪圍山，蘇迷盧山及諸餘山，谿澗溝壑，瓦礫毒刺，諸穢草木，皆悉不現，令彼佛土，所有一切眾邪蟲（蠱）毒，諸惡蟲獸，災橫疫癘，昏暗塵垢，不淨臭穢，悉皆銷滅，令彼佛土地平如掌，種種嘉祥自然涌現，清淨殊勝，眾相莊嚴。」

這個定的名字是「金剛光定」，一入定的時候，這個國土有大輪圍山，小輪圍山，蘇迷盧山，也就是妙高峰。這些山裡頭有水澗，有溝渠，有高低，還有瓦礫，毒刺，不乾淨的草木，有毒的花草樹木，都不出現了。這個世界上的眾生，就不會中到邪毒、蟲毒，乃至於惡蟲惡獸的侵害。（這裡補充一下，「蟲」，是一個錯字，它應當是「蠱」，蠱毒的蠱。）乃至於昏暗塵垢，不淨的臭穢都消失了，是因爲這個金剛光定的關係，使這個國土的土地像手掌一樣的平穩，種種嘉祥的現象自然涌現，清淨殊勝，眾相莊嚴。地藏菩薩在這個國土入金剛光定的時候，使這個國土產生這些變化。

「隨住如是諸佛國土，若入智力難摧伏定。由此定力，令彼佛土一切魔王及諸眷屬，皆悉驚怖，歸依三寶。」

地藏菩薩要用這個智力難摧伏定，一入這個定力，這個國土的魔王跟他的眷屬，生起恐怖，都歸依三寶。魔王都生起恐怖，就不會惱害人。

「隨住如是諸佛國土，若入電光明定。由此定力，令彼佛土一切有情，皆悉遠離後世恐怖，得法安慰。」

因爲得到「電光明定」的安慰，脫離三塗，永遠不受恐怖。這個電光明定是不可思議的法，可以得到法智的安慰。

「隨住如是諸佛國土，若入具足上妙味定。由此定力，令彼佛土一切有情，隨念皆得飲食充足。」

「上妙味定」，也就是吃好吃的。使這個國土衆生能得殊勝妙味，所有飲食都是充足，都是美妙的。生到六欲天，他的飲食都不需要廚師，隨念而至，只要那麼一想，飲食就現前。生天就會有這個能力，何況菩薩入定的加持。

「隨住如是諸佛國土，若入具足勝精氣定。由此定力，令彼佛土一切有情，無不皆得增上力勢，離諸病苦。」

什麼病苦都沒有了，這是由於地藏菩薩「勝精氣定」的關係。

「隨住如是諸佛國土，若入上妙諸資具定。由此定力，令彼佛土一切有情，隨樂皆得床座敷具，衣服寶飾，諸資身具無所乏少，殊妙端嚴，甚可愛樂。」

「上妙諸資具定」，由於這個定力，令這個佛國土的一切諸有情，所有的床座、服具、衣食、桌椅板凳，都是上妙不可思議的。乃至於衣服寶飾，所有資生的器具，從來不缺少，而且都是上妙的。

「隨住如是諸佛國土，若入無諍智定。由此定力，令彼佛土一切有情，身心勇健，遠離一切怨憎繫縛，和順歡娛，愛樂具足，施戒安忍，勇猛精進，心無散亂，成就智慧。」

「入無諍智定」，諍是鬥爭，因爲有智慧，入這個定的時候，由於這個定力，這個國土的衆生，身心勇健，遠離一切怨憎的繫縛。「和順歡娛，愛樂具足」，那麼就具足了布施、持戒、忍辱、精進、禪定、般若，六波羅蜜都具足了，因爲心無散亂就是具足般若智，成就智慧。

「隨住如是諸佛國土，若入能引勝踊躍定。由此定力，令彼佛土一切有情，皆受無量勝妙歡喜。」

令諸有情都能夠享受無量的勝妙歡喜，這是「勝踊躍定」。

「隨住如是諸佛國土，若入具足世路光定。由此定力，令彼佛土一切有情，得無礙智，能修種種清淨事業。隨住如是諸佛國土，若入善住勝金剛定。由此定力，令彼佛土一切有情，皆得諸根具足無缺，常樂遠離，其心寂靜。隨住如是諸佛國土，若入增上觀勝幢定。由此定力，令彼佛土一切有情，皆深呵厭自惡業過，咸善護持十善業道，生天要路。」

地藏菩薩入這個定的時候，所教化的國土眾生，能夠不造惡業，增長善業，做的是善道，生天的道路。

「隨住如是諸佛國土，若入具足慈悲聲定。由此定力，令彼佛土一切有情，皆悉發起慈心悲心，無怨害心，普平等心，更相利益安樂之心。」

地藏菩薩入的這個「慈悲聲定」，使這個國土的一切有情，都發起慈心、悲心，從來沒有怨害、沒有傷害別人的心，心是普遍平等的。

「隨住如是諸佛國土，若入引集諸福德定。由此定力，令彼佛土一切有情，離諸鬥諍，疾疫飢饉，非時風雨，苦澀辛酸，諸惡色觸，悉皆消滅。如是大士，隨住如是諸佛國土，若入海電光定。由此定力，令彼佛土一切大地眾寶合成，一切過患皆悉遠離，種種寶樹、衣樹、器樹、諸瓔珞樹、花樹、果樹、諸音樂樹，無量樂具，周遍莊嚴。以要言之，此善男子，於一一日，每晨朝時，為欲成熟諸有情故，入殑伽河沙等諸定。」

這裡舉出二十三種定，早晨的時候，地藏菩薩要入像恆河沙數那麼多的定，不只是這二十三種定，而是像恆河沙數那麼多的定，無量數的定。

「從定起已，遍於十方諸佛國土，成熟一切所化有情，隨其所應，利益安樂，此善男子，已於無量無數大劫，五濁惡時，無佛世界，成熟有情。」

這位大士，這位善男子，他已經無量劫在這個劫濁、見濁、煩惱濁、眾生濁、命濁中利益眾生。那個時候雖然沒有佛出世，他也去利益眾生，過去是這樣，現在也是這樣。

「復於當來過於是數，或有世界，刀兵劫起，害諸有情，此善男子見是事已，於晨朝時，以諸定力，除刀兵劫，令諸有情互相慈愍。或有世界，疫病劫起，害諸有情，此善男子見是事已，於晨朝時，以諸定力，除疫病劫，令諸有情皆得安樂。或有世界，飢饉劫起，害諸有情，此善男子見是事已，於晨朝時，以諸定力，除飢饉劫，令諸有情皆得飽滿。」

「復於當來」，是未來。「過於是數」，比以前的數字還多。或者有的世界，「刀兵劫起，害諸有情」，我們這個世界從來沒有一天不打仗的，沒有聽不到砲火的。現在就是刀兵劫起，這是傷害有情。地藏菩薩見到這個事情，於晨朝的時候，以他所有的定力把刀兵劫除了，「令諸有情，互相慈愍」。

或者有世界疾疫劫起了，害諸有情。「此善男子見是事已」，他於晨朝時，以諸定力除去這些疫病劫，令諸有情，皆得安樂。或有世界，起了飢饉劫，沒有飯吃，大家捱餓，害諸有情，這位善男子，就是地藏菩薩，看到這種事也於晨朝以他的定力，消除這個飢饉劫，令一切有情皆得飽滿。

「此善男子，以諸定力，作如是等無量無邊不可思議利益安樂諸有情事。」

地藏菩薩以他的定力作了這麼多不可思議利益衆生的事情。

「此善男子，具足成就無量無數不可思議殊勝功德，常勤精進，利益安樂一切有情，曾於過去無量無數殑伽沙等佛世尊所，爲欲成熟利益安樂諸有情故，發起大悲，堅固難壞。」

他的大悲心是非常堅固的，無人可以破壞的。

「勇猛精進，無盡誓願，由此大悲堅固難壞，勇猛精進，無盡誓願，增上勢力，於一日夜，或一食頃，能度無量百千俱胝那庾多數諸有情類，皆令解脱種種憂苦，及令一切如法所求，意願滿足。隨所在處，若諸有情，種種希求，憂苦逼切，有能至心稱名念誦歸敬供養地藏菩薩摩訶薩者，一切皆得如法所求，離諸憂苦，隨其所應，安置生天涅槃之道。」

最起碼你可以生天，不墮三塗，乃至於得到不生不滅，究竟成佛。

「隨所在處，若諸有情，飢渴所逼，有能至心稱名念誦歸敬供養地藏菩薩摩訶薩者，一切皆得如法所求，飲食充足隨其所應，安置生天涅槃之道。」

這些都是同義語。

「隨所在處，若諸有情，乏少種種衣服寶飾，醫藥床敷，及諸資具，有能至心稱名念誦歸敬供養地藏菩薩摩訶薩者，一切皆得如法所求，衣服寶飾醫藥床敷，及諸資具，無不備足，隨其所應，安置生天涅槃之道。隨所在處，若諸有情，愛樂別離怨憎合會，有能至心稱名念誦，歸敬供養地藏菩薩摩訶薩者，一切皆得愛樂合會，怨憎別離，隨其所應，安置生天涅槃之道。」

這是苦難。愛的不能相聚，怨的非要相會不可，這叫怨憎會苦、愛別離苦。要是至心稱念，念誦地藏菩薩的人，這些愛別離苦、怨憎會苦，隨其所應，都消失了，安置於生天涅槃之道。

「隨所在處，若諸有情，身心憂苦，眾病所惱，有能至心稱名念誦歸敬供養地藏菩薩摩訶薩者，一切皆得身心安隱，眾病除愈，隨其所應，安置生天涅槃之道。」

上面的經文是讚歎地藏菩薩的。大家可能會懷疑，根據這段經文，只要一稱念地藏菩薩聖號，我們所缺乏的都可以得到，求什麼得什麼，甚至於成佛。根據經文上講的，只要至心的念地藏菩薩名號，地藏菩薩入定的時候，就會加持你。他每句話都有一個「至心」，不要丟了「至心」這兩個字，要是丟了「至心」，這段經文就有問題，他說，必須是「有能至心稱名者」，每句都有一個能「至心稱名者」；大家拜懺，每句的前兩個字也是「一心」。

因此，我們不要產生「信心」的問題！什麼是「信心」的問題呢？佛對好疑問菩薩說，地藏菩薩有這麼多的功力，爲什麼我做的效果卻不一樣呢？是佛妄語嗎？但是他上面說過，你沒有如是做，那個效果也就沒有效。你念一萬聲裡頭能不能有一聲至心的？有一句，就可以。所以有時候很相應，也就是你這個時候的心很清淨。有什麼辦法可以達到呢？大家一定要修「觀想」，觀想地藏菩薩，至於觀想的方法，我們後面會講。

講到修定、修靜的時候，你要觀想的時候怎麼運用？你漸漸的能夠相應，確實相應，佛所說的話沒有一句假話，也沒有一句騙我們的。要是沒有作用，騙我們做什麼呢？佛菩薩不是。但是我們照著佛經上所說的方法去做，爲什麼都得不到效果呢？因爲你根本沒有學好！你自認爲是佛弟子，也在做；但是你根本沒有學，你所做的跟所教導的不相合。

譬如說，在《地藏經》第十二品上，釋迦牟尼佛對觀世音菩薩說，如果記憶力差，不能讀誦佛經，這是宿障，沒有消失；就在地藏菩薩前面供養一杯水，今天早晨供了，明天早晨把這杯水倒出來喝了，完了，把這個杯子洗乾淨了再供，把這供過的水喝了。之後，要愼重至心。所以說要我們三七日內勿殺害，戒酒肉邪淫及妄語，這些事一般人都可以做得到的，三寶弟子都做得到的。可是至心思念大士名，做不到！因此就相應不了。所謂至心思念大士名，我們作進一步的解釋，這跟我剛才念的都有關係。你怎麼樣才能達到至心思念大士名？這裡面有功夫，也許有一點兒秘密。說清楚了就不秘密，但是你做不到的時候還是秘密；這要靠觀想力，至心不是口念，也不是用眼睛看的，而是心裡想的。我們中國有一句老話：「心誠則靈」。你的心至誠了，金石爲開，學佛的人心裡頭本來就比別人少些浮動，容易清淨下來。

我們按照佛經的教導去做，或者未達到目的，還沒有得到相應，一定要找原因。爲什麼？檢查自己的思想，自己糾正，一次糾正不成，兩次不成，十次，爲什麼修行需要幾十年的功夫呢？一碰著，一下子開悟，一開悟了才知道原來是這麼一回事，等你知道原來是這麼回事，這回事也沒有了。這個道理，看起來是很簡單，做起來很難，說起來很容易，只要用平常心對待就可以，但這個平常心你是掌握不了。

有很多人問我，喝了地藏水，可是效果不好。我說：「有人效果好，你去問一問他是怎麼做的。」但是效果好了，就不能再犯，你要是再犯了，又沒有，時明時暗。衆生心，時明時暗，我們決定不了，所以智慧的明與暗，兩者一直在鬥，有時候明，有時候又暗，暗了又恢復原狀了。說是業障發現了，有時候他又明了，業障又消失了。但是不管怎麼樣，念誦地藏菩薩，絕不會墮入三塗。不過，輪轉要經過多一點，不論《地藏經》、《占察經》，《十輪經》也好，只要稱誦地藏菩薩名號，現在結了緣，都能得到這些功德的。

因爲地藏菩薩在《地藏經》上他親自向釋迦牟尼佛保證過的。他說：「凡是在末世，只要對佛法有一絲一毫一微塵的善根，一定度脫他。」那麼假地藏菩薩的神力是沒有問題的，不過你不能因爲這句話，就等著地藏菩薩來度，自己還是要努力，否則時間就長了。我們現在只是念一遍經文，像這些經文的道理講起來是很深的，你先念念讀讀就行了。眞正的要學習《十輪經》是在後面，等講到第二卷，以佛的十輪，來對比我們的十輪，最後在這兩卷經文中，好好用點功夫，這是我們修行的地方。

前面就是「序分」，先讚歎地藏菩薩的功德，你心裡就會嚮往，地藏菩薩眞是不可思議，心裡很至誠的生起了殊勝感，再去學習就容易進入。

佛一再讚嘆地藏菩薩的功德，但是在很多大法會之中，很少有地藏菩薩到場的，文殊菩薩、觀世音菩薩經常在佛的左右；地藏菩薩很少來，除非因爲他的關係要發起什麼法會，他才來的。好多的法會都沒有地藏菩薩，爲什麼？他要遍於好多佛國土。他叫什麼名字呢？不一定叫地藏菩薩。地藏菩薩有無量億的名字，他的定也是無量億的定，名字也是無量定。另外，哪一尊菩薩是地藏菩薩呢？我們到五台山，朝文殊菩薩，哪一位是文殊菩薩呢？你見的人太多了，其實我們天天跟地藏菩薩見面，或者是地藏菩薩天天在我們身邊，只是是自己不知道而已，所以你念就好了。當你念《地藏經》的時候，當你思念地藏菩薩，地藏菩薩已經在你心中。

在這一段經文提到好疑問菩薩，他因爲不理解，也沒有聽說過，但是他在這個法會當中見到了，也聽到了。先是佛讚嘆地藏菩薩的功德，爾後地藏菩薩又以妙伽陀頌讚嘆佛的功德，這個好疑問菩薩感覺到地藏菩薩是不可思議的，他就問地藏菩薩是什麼時候種的善根？他現在住在哪個佛國土？這個佛國土離我們這娑婆世界是遠是近？過去生中他所種的善根，以及所修習的功德是什麼？好疑問菩薩向佛請問，佛最初沒有答應，因爲說出來恐怕衆生懷疑不信，佛就止住。經過好疑問菩薩一再請示，佛就給他說了。

這是在《十輪經》上，釋迦牟尼佛讚歎地藏菩薩，另外我們看到《地藏經》或是看《占察善惡業報經》上說，地藏菩薩修行的時間，是很長遠的；同時佛也沒有廣說，爲這個好疑問菩薩所介紹的，只是略說少分。

在這少分的當中，先說一部份地藏菩薩所入的定，定者是觀察義，因爲定才能生慧。當我們有什麼事情，會說等我靜下來想一想，就是這個意思。因爲地藏王菩薩是遍一切處，一切處都是他的住處，隨所在所止住的諸佛國土。好疑問菩薩不是問地藏菩薩住在哪個佛國土，離這裡遠近嗎？佛答覆他：「隨所止的佛國土，都是地藏菩薩行菩薩道的處所，也不只是娑婆世界，也不只是極樂世界，不只是東方琉璃光如來世界，只要有三塗的地方就有他。」所以在許多大乘經教當中，地藏菩薩很少在場。這是一個問題。是不是他眞的沒有在場？不會的。只是他的名字不叫地藏菩薩，隨所現的國土，隨所現的身，他又有別的名字了。

從這一段經文，說他所入的定一共有二十三種定，其實是略舉少分。在《地藏經》上，或是在《占察善惡業報經》上，他入的定就多了，一早就入千百萬億的定，先以定動，後以智拔，先用定觀察一下，之後用智慧去救度衆生。

地藏菩薩就在這世界上，跟我們娑婆世界特別有緣，依照經文的意思，我們在這個世界上就應當得度，可是爲什麼我們現在還是這麼苦？這還得有緣。我們天天念地藏菩薩聖號，我引述經上的兩句話，地藏菩薩自己說的，有很多眾生沒有聽見我的名字，「不為名聞，云何懸念？」連我的名字都沒有聽到，怎麼念我的名字？對於這點我們有些懷疑。我們天天在念，怎麼說還有沒聽見地藏菩薩的名號？

《占察善惡業報經》上是這樣講的：「要有至心！」用占察輪的時候，一定要至心。沒有至心，就沒有聽到地藏菩薩的名字，也就是跟地藏菩薩不相應。堅淨信菩薩問地藏菩薩：「你說一切眾生要學習懺悔法，要我們拜地藏懺，要得至心，若不能至心，什麼現象也得不到，甚至於『不為名聞，云何懸念』，根本沒有聽見我的名字，又怎麼念呢？」也就是說沒有念。明明在念，我明明聽見了，為何沒有念？你不至心。

《占察善惡業報經》說：「若彼眾生雖學懺悔，不能至心，不獲善相者，設作受想，不為得戒。」什麼也得不到，我們學法的時候，往往沒有依法去做，受了三歸依，你不行三歸依，還算佛弟子嗎？受了五戒，不持五戒，算得戒嗎？涵義就是這樣子。

堅淨信菩薩就問地藏菩薩說：「你所說的至心，什麼樣才算至心？何等爲至心？」這是堅淨信菩薩問他。地藏菩薩就答：「善男子，我所說至心者，略有二種。何等爲二？一者初始學習求願至心。二者攝意專精，成就勇猛相應至心。得此第二至心者，能獲善相，此第二至心，復有下中上三種差別。」大家從我念的這一段經文就可以知道至心的重要。《十輪經》後面的經文也會講解。前面是總說他的功德而已，並沒有說他所做的事實。

但是學經的時候，要先把這部經的涵義、互相矛盾之處找出來；解決你認爲有矛盾的地方，先把懷疑解決了，以後才能夠至心、深入，才能夠得救，才能跟菩薩的願力相應，跟你所求的相應。如果不依法，不依法就是學法而不依法，這是我們的通病。學經，不依照經，這又怎麼解釋呢？很多學佛者，佛教他怎麼做，他不那麼做，之後，他還要抱怨，說佛法不靈。不是不靈，而是你沒有做，或者做的不如法，一定要依法。有些事情在理上是可以通的，在事上是絕對不行。因此懂這個道理之後，才明白爲什麼一天拜懺、念地藏菩薩，好像還不滿足我們的要求。

還有在菩薩的加持當中，有一種很明顯的現象，或者在夢中，或者看見地藏菩薩加持，你的災難立即消失，立即可以明白，心開意解，惑業消失，這叫明加，是很明顯的。還有一種冥加，就是暗暗的加持你，一步一步的引導你。如果明意加持你，菩薩有智慧，我們沒有智慧，就容易驕傲，或者夢見相好光明，你就到處宣揚加持，邀名邀利，「昨天晚上地藏菩薩對我放光，我好快樂！」別人一聽，你有成就了，趕快遞紅包，供養你，完蛋了！你就墮落了。所以，在求的時候一定要懂得這種勝解，不論學哪部經一定要依法學，你不能超越。

不是說頓悟嗎？頓悟離不開事修！你別看人家開悟，一聽聞就理解了；之後就得了殊勝理解，得清淨輪相，他不是現生，而是多劫而來的。我們看工人拿起工具非常熟練，一會兒就做好了，你搞得滿腦頭是汗，還摸不清楚怎麼下手。而且做出來的成品還是次品，這道理是一樣的，先懂得這個道理，你再來聽這部經文的話，菩薩定力的加持，乃至於菩薩所在的國土，隨便在哪個地方好多眾生都能夠得到利益，你自己就可以感覺到。

我沒有看見，爲什麼我的感受是這樣子呢？爲什麼經上說的是這樣子呢？這兩者好像不相應，應當懂得這種道理，你連最起碼發願的至心都沒有，只有欣樂的至心，聽到地藏菩薩很感動，這只是希求心，還沒有達到至心。至心有一定的樣子，發了至心，像勇猛精進心，還分爲三心，到了深心，「地藏菩薩就是我自己！我就是地藏菩薩！」這樣去觀想就相應了，你所證到的境界自然就不同。像聽聞到地藏菩薩，就能夠捨棄一切，什麼都交給地藏菩薩的程度，我們還做不到。

還有根據《占察善惡業報經》裡面所要求的，使用輪相的時候，應當怎麼樣拜，怎麼樣依法，求什麼得什麼，那得要有功力，勇猛至心，要二十四小時，不分晝夜懺拜，稱誦名號，誦《地藏經》。叩頭禮拜，並不是依照懺本，拜一次就算了，要連續的，是有一定的要求。但是對我們凡夫，對我們現在的體力，跟我們的身心，依照菩薩的規定，我們做不到；那就要有加持，你只要眞正去做，就有加持。

以前有一位祖師，他就是以他的生命來修持的。因爲他愛打瞌睡，昏沉特別重，就把自己擱到必死之地。人人都畏死，他就到懸崖上面打坐，看自己還睡覺嗎？一睡覺，就落下去，落下就死了。這樣子能制止煩惱？不成的。他坐一坐，支持不了就摔下去，韋馱菩薩就把他托上來，他就問：「何人護法？什麼人把我救上來？」護法韋馱告訴他：「我是韋馱菩薩來護你！」他一聽就生驕慢心。他說：「南贍部洲內像我這樣修的人恐怕不多！」韋馱菩薩說：「像你這樣的人，我看見太多太多了，像牛毛那麼多，像你這樣的驕傲心，我十劫後再護你的法！我十劫不護你。」韋馱菩薩就隱了。

他一想：「最初也沒有求你護法，你護也好，不護也好，我還是照樣修。」他又坐，坐久了支持不了，肉體是有限的，他又墜下去了，韋馱菩薩又把他救起來。「你不是不護法我？怎麼又護？」韋馱菩薩說：「你一念超過十劫，我說十劫不護法你，但這一念精進心超過十劫。」

當我們在危難當中或者困難當中有沒有生起這一念超過十劫的心？有沒有？經常說放下身心，我們有沒有放下，自己很清楚。

根據《十輪經》的這段經文，佛是答覆好疑問菩薩說的，不是地藏菩薩讚歎自己的功德，這是佛說的。佛說的這位善男子，就在他所應住的國土當中，由於他的定力、願力、慈悲心、道力，只要他在那兒，那個地方就吉祥，不過也要這個地方的衆生跟他至心相應，不相應還是得不到。

但是，有的地方又說，像在《地藏經》第十二品，佛對觀世音菩薩說：「這位地藏菩薩對此土衆生特別有緣，只要衆生有求，衆生有念，都可以得到加持，要求不是這麼嚴。」而且《地藏經》第十三品中，佛最後囑託：「末法的衆生，以你的神力、願力，一定要救護。」地藏菩薩就發願說：「在末法的時候，只要對佛法有一點兒的少善根，一微塵一滴水，對佛法有善根者，我一定救度他，讓他得解脫。」

這跟我們前面提到的至心相應，兩者結合起來看，學法不能在文字語言上起執著，否則就會產生退心，你的心就不會至誠。地藏菩薩說：「對佛法有一點微塵、一滴水的功德，我都會救度。」現在我對佛法有很多功德，我不只一滴水，地藏菩薩怎麼不救護我？這樣你就會生起抱怨想！佛法要面面觀，時時修，要這樣的來觀。

「隨所在處，若諸有情，互相乖違，興諸鬥諍，有能至心稱名念誦歸敬供養地藏菩薩摩訶薩者，一切皆得捨毒害心，共相和穆，歡喜忍受，展轉悔愧，慈心相向，隨其所應，安置生天涅槃之道。」

這段經文的意思很容易懂，不需要怎麼解釋。這一類現象，大家很清楚，現在我們都具足，我們怎麼樣超脫？讓地藏菩薩把我們安置到生天涅槃之道？要至心。我剛才念的《占察善惡業報經》，不知道大家有沒有忘了？要學習，這叫學習發願至心；不學習，至心是達不到的。我們大多是散亂心、昏沉心，這跟信心很有關係。我們要培養信心，對法深信不移，是很難的。儘管這麼講，恐怕道友還是有「眞的嗎？」這個問號，「我怎麼沒有得到？」好多人都有這個問號，就是沒有問自己的至心達到什麼程度？因爲沒有至心，跟地藏菩薩不相應，這種的情況就達不到，這是指說生天涅槃之道；至於消災免難，多少還是有的。

以我個人的經驗，自從到了美國以後，我和宏覺法師兩人都有體會；凡是到佛堂來隨喜禮拜的，都會得到一定的利益，不過不是究竟的徹底利益。因爲他的心沒有徹底，所以也得不到徹底的利益。有時候，他求某一件事情，或者求他的兒子災難免除，兒子的災難一旦免除了，他就不再信了，不再做了，這樣子生天涅槃之道是達不到的。而且，兩者互相比較，世間的情份特別重，出離心的成份特別輕，重的愈來愈重，輕的愈來愈輕。

我看到好多道友是這樣子的，一年當中每個人的變化都很大，我們所能做得到的，就是規勸他，啓發他，我們在一起的時候，跟著我們拜懺，一達到目的了，就不拜了，而我們也離開了。「啊！我在家裡拜呀！」我說：「你別騙我了，你在家裡拜誰呀！」「啊！我還是念呀！」念什麼就不知道了。我們不要欺騙自己，你想欺騙鬼神也欺騙不到。你會欺騙菩薩嗎？菩薩本來就在你心中，你的心若靈了，事業都靈了，那是你自己的心。到了後面，我們會講到地藏菩薩就是我們自己的心。前面講過，地者就是我們的心地，藏者就是密藏。我們的心地就含藏這些事情，反正這兩方面都是空的。但是空是不空的，它可以做成無漏性功德，也可以變成一切憂悲煩惱，就看你怎麼理解。

「隨所在處，若諸有情，閉在牢獄，杻械枷鎖，檢繫其身，具受眾苦，有能至心稱名念誦歸敬供養地藏菩薩摩訶薩者，一切皆得解脫牢獄杻械枷鎖，自在歡樂，隨其所應，安置生天涅槃之道。」

解脫牢獄之災，免受枷鎖的苦難，一解脫就自在歡樂。但是其中也有問題，有什麼問題呢？我們的時間觀念跟佛的時間觀念不一樣。諸佛看你也是一剎那，考驗考驗你，但是你感覺已經好幾十年了，對於這點我個人深有體會，大家可能就沒有這種體會了。因爲你沒有住過監獄，也沒有住過那麼長的時間。但是憂悲苦惱，誰都有吧！我看每個人都有，就算你擁有多大的財富，就算是帝王將相，達不到目的，你還是苦惱。已經得到的權力，害怕失掉；已經得到的財富，害怕丟掉，這樣就憂愁了，想盡辦法保護。你擁有很大的財富，念地藏菩薩，求不要失掉財富，這樣保得住、保不住？地藏菩薩的安排不像你心裡的安排，也許財富反而會散得快一點，爲什麼呢？地藏菩薩要給你培福，不讓你保護這些東西，這些東西是毒蛇。你以爲地藏菩薩不靈，其實地藏菩薩是眞靈，他把你的財富散了，災難免了。

當抱怨的時候，往往是我們得到利益的時候。「自在歡樂，隨其所應，安置生天涅槃之道。」但是，地藏菩薩救度衆生的時候，他最終的目的，是要你得到不生不滅的涅槃之道。生天也是過程，你不是想得到快樂嗎？生到天上，那種快樂比人間快樂多得多，那是無憂無愁的，永遠不會再發愁。要是你又能夠修行成佛，那就更好。

「隨所在處，若諸有情，應被囚執，鞭撻拷楚，臨當被害，有能至心稱名念誦歸敬供養地藏菩薩摩訶薩者，一切皆得免離囚執鞭撻加害，隨其所應，安置生天涅槃之道。隨所在處，若諸有情，身心疲倦，氣力羸惙，有能至心稱名念誦歸敬供養地藏菩薩摩訶薩者，一切皆得身心暢適，氣力強盛，隨其所應，安置生天涅槃之道。」

佛對好疑問菩薩說：「你問我地藏菩薩的功德？我就跟你這麼一樣一樣

的說。」這還是少分，因爲衆生的苦惱太多太多了。在每個人的身上都不同，煩惱也太多。所以雖然說這麼幾篇，還只是略舉的。

「隨所在處」，凡是說隨所在處，是指地藏菩薩所說的。地藏菩薩在哪兒，哪個地方的有情，就可以免受苦難。他有什麼苦難呢？身心疲倦，內心疲倦，身體疲倦，過份的勞累。他打幾個工，還要念書。我在美國是看到過的，有人打兩份工，還要去念書。晚上上課，白天去打工。有些人很幸福，家庭生活富足，可以供他念書。有些人很苦，連自己到美國的費用也是自己掙的錢，打工養活自己，甚至幾個人住一間房子。我們在紐約聽說有幾個人租一張床舖，三個人，你八個小時，我八個小時，他八個小時。這八個小時我去上班，你睡覺。下八個小時，輪到他上班去了，就這樣三人住一張床舖。這是事實，不是說笑話。有的人房子是很大很空，爲什麼呢？那是他的福報，那是他的業障！要是說很不平等，其實非常平等，我們聽到這種事情，覺得很平等呀！業呀！自己作業自己受，脫是脫不了的，他如果至誠懇切念地藏菩薩，也許就會改變了。

人在苦難當中，至心容易生起；一旦得到了，至心就跑了，又變了。求身體好一點，身體眞的好一點了，就忘了菩薩，又去放逸了，這種事每個人身上都存在。我也存在！當我在監獄裡頭，想佛想三寶，一出了監獄就不是那麼一回事了，並不是念念都在想！監獄的苦，很逼迫，也沒有別的事，腦子就集中這樣想，一出來事情就多了，快樂的事很多，就把佛的事給忘了，就不會那麼樣至心去念，這是必然的。除非修定成功，得到不退位！否則，一切衆生都一樣。

或者沒有氣力了，求菩薩增加一點氣力。我很感激菩薩，從監獄到現在，我這一生沒有害過什麼病。今年八十一歲，快八十二歲了，感覺還是很有氣力。你們聽我說話，還有氣力！菩薩要怎麼加持你？不害病就夠了。所以爲什麼每一位道友都應當報佛恩、報菩薩恩，因爲他的加持很多，自己在福中還不知福。今天我看見電視上說龍捲風侵襲美國四個州，總共損失了二十八億元美金。二十八億元美金不是小數。龍捲風那麼一過，就沒有地方住了；昨天還很幸福，風一過今天就不幸福了。想等救濟，去等吧！你受了苦難等救濟，那是很困難的。世界上的這些現象，大家雖然都看到了，但是都有一種僥倖心理，「還沒有輪到我！」每人都有這個想法。沒有輪到我，可能不會遇到。

三寶弟子，要隨時把一切的功德推給三寶，這是三寶加持我們，還有這個氣力。要至心稱念地藏菩薩名號，身心暢適，氣力就強盛。

「隨所在處，若諸有情，諸根不具，隨有損壞，有能至心稱名念誦歸敬供養地藏菩薩摩訶薩者，一切皆得諸根具足，無有損壞，隨其所應，安置生天涅槃之道。」

這句話我有一種想法：是不是六根殘缺不全的人，馬上就生長出來，或者腿斷了又生出一條腿來？不是這個意思！地藏菩薩加持你，是以另外一種方式加持你，讓你死了，又再另外投生。另外有一種，他確實是六根不全的人，盲的眼睛忽然看見了，聾子、耳朵突然聽得見了。這種事有例子可以證明。去年的時候，我們到這兒來，有一個小女孩，她的耳朵安上助聽器，說話「呀呀呀」地說不出來；距離現在不到一年，她也能說話，書還念得很好。她才念地藏菩薩念一點點，但是念的很誠懇，心裡純淨不雜。十幾歲的小孩子，高雄人，這裡有人可以證明，這是事實，那是地藏菩薩免除她的六根不全，要安置到生天涅槃之道，還要繼續修行。所以諸根不具的人，要這樣祈求。

但是，每一段的苦難最後都有個條件，要至心稱名，念誦歸敬，還得供養。大家一聽到供養，就以爲要出錢，不一定的，最好的供養是法供養。就是用念聖號供養，而你都供養地藏菩薩或者念念《占察經》、念念《地藏經》，用法來供養也可以。還有用你的意供養，如果你沒有很多錢，就算你有錢，你又不方便上街，要是到了花市，到了水果店，把它搬來就是了。有人問我說：「師父，那樣不犯盜戒嗎？」我說：「你又沒有拿他的東西，你犯什麼盜戒？」盜戒是指你對他的屋子舉離本處，才犯盜戒。這是你心裡變化的，犯什麼盜戒？你造出來的水果，比他那個水果還好，這是從意念產生的。意念生，這是法供養，一種意念供養。這就是普賢十大願王廣修供養的法供養。

所以，供養，可以用法供養，但是提醒大家，貪心不要太重，什麼也捨不得，心想：「我就念點經，法供養就成了！」一文錢不出，一點力也不出，這也不對。因爲法需要結合事，你是在不得已沒有辦法的情況當中，你就法供養。但是你能力做得到的，得依事表法，理事才能無礙。我若不這麼說，有人會罵我的，因爲叫大家都不要出錢供養三寶，只用意念供養，廟裡的和尚吃什麼？所以兩個結合起來，不可偏廢。聞法千萬不要起法執，若是這樣說，你就這麼執著；那樣說，你又那麼執著，就麻煩了，你就不必學了，也學不進去。一定要懂得這個道理。

「隨所在處，若諸有情，顚狂心亂，鬼魅所著，有能至心稱名念誦歸敬供養地藏菩薩摩訶薩者，一切皆得心無狂亂，離諸擾惱，隨其所應，安置生天涅槃之道。」

這是狂亂、精神病患者，這種病很不好治。發顚狂的人，很不好治；還有被鬼魅所著，這是眞有其事。的確有鬼宅，我們遇到了，就念經吧！念經加持。有的道友說，他一開始念《地藏經》，他的婆婆就找來了，外婆也來了，六親眷屬把他嚇得不得了，他都不知道這是怎麼一回事。那是找你超度，他們找了很久，都找不到一個跟他有緣的人來幫忙超度。所以一念《地藏經》，他們就來了，但是你別怕；有人是夢中見到的，有人是醒著見到的。

我在紐約有一個弟子，就發生這種現象，後來就不念《地藏經》了。之前他念《地藏經》，大白天開車從他家到公司，他看見一個腦殼四方的，又高又大的人，向他的汽車走來，他嚇暈了，從此就不念《地藏經》了。後來在家裡也經常遇到這種事，看見鬼魅。遇到這種事一定要堅定。他也不相信我的話了，我說：「你要堅定，繼續給他得到好處。」他說：「不念了。」不念了，也就沒有了。但是，我們這麼多道友都是念《地藏經》的，也沒有誰不念吧！一天念一部的人還是很多。

假使說有發生這類的現象，至心念誦歸敬供養地藏菩薩摩訶薩，你的心就恢復了，不再狂亂。這些擾害惱亂你的鬼魅也就隨著消失了。不僅如此，地藏菩薩還教導你，怎麼樣學習，使用什麼法門。誦經也好，修《占察經》也好，修《十輪經》也好，或者修觀想也好，然後安置你生天涅槃之道。

「隨所在處，若諸有情，貪欲瞋恚，愚癡忿恨，慳嫉憍慢，惡見睡眠，放逸疑等，皆悉熾盛，惱亂身心，常不安樂，有能至心稱名念誦歸敬供養地藏菩薩摩訶薩者，一切皆得離貪欲等身心安樂，隨其所應，安置生天涅槃之道。」

放逸跟疑是兩回事。疑是懷疑，放逸是散亂，很不精進的意思。精進對放逸，有這樣一個涵義。若諸有情，貪欲心很重；脾氣很大，瞋恚心很重。還有愚癡邪見！看事物、看問題跟人家總是不一樣。忿、恨跟瞋是屬於同一類的，但是這個的情況有所不同。像忿，有些人還認為是好的，不平則鳴，看見一個人欺負另一個人，他生起忿恨心，氣得不得了。一般人會認為這個人有俠義作風，正義感很重。佛教不是這樣講，因為你不明事理，不明因果，不知道是怎麼一回事。前生是怎麼回事，未來、過去怎麼一回事，為什麼會有這種事情發生，你反而在這裡不平則鳴。

我認爲這是一種忿。忿就是不平，或者別人對待你，你產生不平，或者別人的事情，你生起忿恨，這表示你沒有辦法，只能恨他而已。你想要報復，敵不過人家，你恨在心裡；現在沒有辦法，等我有機會再對付你，這是屬於恨。

慳是慳貪，自己有，不肯捨。嫉妒，嫉妒人家，看人家捨了，他又放不下。或者看人做了好事，他沒有做；但他嫉妒人家，嫉功妒賢。驕，就是感覺到自己比別人強。驕傲，若加個女字旁就是嬌氣，驕往往跟慢相關連的。有慢有好多種，有一種是自己本來不如人家，卻感覺比別人強，這叫過慢。有些人，看見別人很好，就說有什麼了不得，我也能做得到，這也是慢的一種。其實他做不到，根本就沒有本事，還覺得比別人強，這是屬於驕慢的性質。

惡見，就屬於愚癡的一種。他看問題跟人家不同，吃葷的人可不要多心。殺魚殺蝦殺什麼，認爲這是該吃的，這是惡見。把人家傷害了，還認爲是應當的。我聽一個老太太說：「豬、羊就是給人家吃的，豬羊一道菜。」我看你才是給老虎吃的！如果是給長蟲吃的，毒蛇猛獸要吃你，你會給牠吃嗎？各人有各人的環境。只不過，牠的力量不敵你，被你殺了。你不養羊，牠在山裡頭都照樣生活，牠吃草，就算你不餵牠，牠也照樣能生活。你把牠捉住，殺了。家裡養的還說得過去，山裡的羊，牠妨礙你什麼？你認爲是應該的，這都叫惡見。

還有一種惡見，總想害人，那就是惡見。我在監獄裡住的時候，有些犯人已經入監了，還一天的想害人。有些犯人給那些更惡的人打報告，他是三天不害人走路沒精神。他怎麼害人呢？成天跑到幹部或者警察那兒去告密，說那人剛才說了反動話，罵了毛主席，又把紅寶符擱到屁股底下坐，這就糟糕了，可以判五年到十年刑，這不是開玩笑的。你的屁股底下如果撿出一張報紙來，恰巧那張報紙上有毛澤東的相，這下子你慘了，這種事例很多，這叫害人。我們那裡就叫打小報，這都屬於惡見。

惡見的例子特別多，每個人都有。不要認爲我們很清淨，以這種見解看問題的，我們都有，不過學佛之後都在修正中。

睡眠，任何人都免不了的。有的人必須睡十幾個小時，有的人幾個小時就夠了。佛教導我們減少睡眠，睡眠愈睡愈昏沉。

有一種情形，這是笑話，他是不看經，不睡覺，經本一打開，他的瞌睡就來了。還有，不打坐，不睡覺，一打坐腦殼就低下來。爲什麼？我們經常說業障，這就叫障。睡眠是蓋，把你的智慧蓋住了，睡眠蓋。

還有心智喪失，任何人都有，我也有。這幾天當我們念完佛拜完懺，一打坐，剛念完聖號，我就有點不行了。宏覺法師給我提個醒：「老法師，你打頭！」我一注意，不行！一注意提起來警惕，就好一點。這是蓋，不是好事。有人勸你休息一下，睡一下就好了，睡一覺怎麼會好呢？睡糊塗了，你靜坐一下，觀心，當睡眠的時候，你就修修觀。如果你是眞的修觀地藏菩薩，地藏菩薩會進入你的身心，地藏菩薩光明就會把你的睡眠給攆跑了。睡眠過多是我們的過患，算一算一生當中睡眠佔去好多時間？

放逸，就是高興的時候，妄心妄跳。打球打高興了，五六個鐘頭，沒有問題。叫他坐在這兒打坐修行，或者念念經，坐一個鐘頭都受不了，坐半個小時他就毛焦火辣地要起來。要他打球要他玩，他來勁，三、五個小時都沒有關係。還有打麻將，打了四圈還來四圈，越打越起勁兒。爲什麼？放逸，這是衆生的業。

疑是我們修道的最大障礙，對什麼事都打個問號。有很多人從小孩起，因爲被他的爸爸媽媽騙慣了，當他長大以後，不論誰說話他都打個問號。所以有子女的道友，千萬莫騙子女。小孩的腦筋非常天眞，你跟他說，他就信了。後來，他看見的不是這麼回事，以後對什麼事都會懷疑。特別是學佛的人，你跟他說這些聖境，這些地藏菩薩的功德。「我怎麼都沒有得到？這位老和尚在瞎說的！」他就會生起懷疑！疑是我們修道的最大障礙，爲什麼會懷疑呢？疑的反面就是信。信不具足就叫懷疑。什麼事都疑惑，疑是障道的因緣。這些情形非常的猛烈。

「皆悉熾盛」，全都很熾盛的，惱亂你的身心，使你的身心不能夠修道，不能夠得到安樂。有這些毛病的道友，貪欲瞋恚、愚癡忿恨、慳疾、憍慢、惡見、睡眠、放逸、疑，熾盛來的時候，你要放下來，安心至心稱念歸敬供養地藏菩薩。這些我們都試驗過了，你之所以有煩惱，就是這些東西；不管哪一樣，或者因爲外界來的，或者接了一個弟子的電話，或者他出了什麼事，我們動心了，也跟著他一起煩惱。

有一段時間，我們住在美國三藩市，中國大陸正在對台進行導彈試射，我們都去買報紙，每天晚上看台灣的電視台。爲什麼呢？宏覺法師說：「我看您最近很關心。」我說：「是呀！很關心。」因爲台灣有那麼多歸依弟子，他的家庭如何？必須關心！一關心就亂了，大陸上有那麼多的六親眷屬，台灣有那麼多的佛教道友。所以，一遇到了你關心的事，自己作不得主，自然就隨著他亂了。念地藏菩薩吧！念是念了，求也求了，感覺不靈，因爲你這邊盡念盡求，他那邊還是盡打。在事實面前往往會使你的道力退失，這叫退失道力。

我們平常說空的假的，是你自己份內的體悟，你說是空的假的可以，但是不能對衆生說空的假的。他信你？他在那兒苦，你在這裡說空的；像魚、畜牲，我們是不懂得牠的語言，你要是懂得牠的語言，你就知道牠的痛苦。

「你們快樂的坐在桌子上，卻用油炸我、用刀切我，你還說，很好很好，還要講求味道。」「欲知世上刀兵劫，且聽屠門半夜聲。」現在吃的花樣很多，花樣一多，什麼導彈、飛機也都來了；你吃的花樣多，報復的花樣也多。因此，我們懂得這種道理，應當至誠的稱念地藏菩薩。那麼地藏菩薩就能救離我們的苦難，安置生天涅槃之道。

發願至心，發願可以增加我們的至心，說我要度一切衆生，我念一切衆生苦。像我剛才說的，可以從兩方面來說。從好的方面說，「欲銷世上刀兵劫」，我每天念，求這個世界上的災難消失，求佛菩薩加持，這是好的，這是大悲心。從另一方面想，不關心，你爲什麼不想中東或者那些國家的風災，我們有沒有幸災樂禍的心？我們的敵人，他那邊起風災，「看老天跟你作對！」你有沒有幸災樂禍？如果有，犯罪，要平等對待！爲什麼天災那麼多？人間沒有辦法治你，人間報復不了你，你說不公平！天者自然義，自然的那個力量就來了。

你想找原因，去找吧！過去，小時候從來沒聽過環保衛生，災難好像也沒有這麼多，現在特別多。氣候爲什麼反常？人類研究天體，就是不研究因果。我們誰都懂得，地球還長不長？不會長。天天在掏，每天在這個地球要掏出多少東西來，掏完了這些東西到哪兒去？我們在地底要取出汽油來，幹什麼？燒、化，化了到哪兒去？一點也沒有失掉，它在空中，空中也是物體，它又漸漸凝聚。凝聚又要再來這個世界，壞，之後再成長，成長又陷進去，就這麼旋轉輪迴，這就叫衆生業，這叫業輪。

我們講《十輪經》就是講輪，輪是永遠不會停止的。佛教講這種事，科學家現在也證實這個問題；證實問題是人自己造業，自己做的。天天喊空氣污染，可是天天增加污染。怎麼辦？所以，我們念地藏菩薩的時候就要迴向，衆生自己造業自己受。爲什麼他這樣做呢？因爲他心裡已經狂亂了。

想找個不狂亂的很少，但是我們都是佛教弟子，要止息狂亂，至心稱名念誦歸敬供養地藏菩薩。地藏菩薩有這麼大的力量，入那麼多的定，能夠給衆生這麼多的安樂，都能安置我們生天涅槃之道。地藏菩薩有這個力量，我們有沒有這個求的力量？有，就是至心。至心的力量跟地藏菩薩加持我們的力量，兩個結合一起，這個問題就解決了。

「隨所在處，若諸有情，爲火所焚，爲水所溺，爲風所飄，或於山巖崖岸樹舍，顛墜墮落，其心慞惶，有能至心稱名念誦歸敬供養地藏菩薩摩訶薩者，一切皆得離諸危難，安隱無損，隨其所應，安置生天涅槃之道。」

不論你在什麼地方，只要一念地藏菩薩，地藏菩薩就到那個地方，地藏菩薩是遍一切處。

「隨所在處，若諸有情，爲諸毒蛇毒蟲所螫，或被種種毒藥所中，有能至心稱名念誦歸敬供養地藏菩薩摩訶薩者，一切皆得離諸惱害，隨其所應，安置生天涅槃之道。」

這些是我們經常見到的，後文也會講到十輪，說明這些災難是怎麼來的，我本來想略去不講。在〈序品〉中念一念，隨文說一說就可以，宏覺法師給我提個意見說：「一般人又不大理解，說一說還是比較好。」我今天就再囉嗦一下，但是這樣的話，講經的進度就會很慢。

一部經他有主要的意義，他的中心意思是什麼？我們學一篇文章，做一件事，總有一個中心目的。我們想把重點放在中心目的上，但是說一說這些現象是有好處，大家知道這些現象怎麼來的嗎？當你心中一念，就起風；心一動念，業即生。

就說我吧！我就是這樣的。我要你行善，別人卻認爲這是搧風點火。如果在監獄裡說你好好念佛，多做點兒好事，別人說你是在搧風點火，宣傳佛教。因此，你的心一動念，別人反而認爲是搧風，結果越搧風火越大，火越大越燒著，越燒著，世界上的災難就越多。現在大家都在搧風，都在點火，火就更厲害了！大家想想看，水屬於情。水、情都是往下墮的，情感越重，水災越大。瞋恨心越重，火災越大。人人不服氣，風災就越大。你天天在掏空地球，地球就報復。所以一九七六年的唐山大地震，唐山市整個地下是空的，挖了幾百年。一旦掏空了，它能不陷下去？地底下是空的。現在有好多地區的地層還在下沉，爲什麼下沉？把地下水都抽出來了，誰來支持它呀？

中國有句老話：「天作孽猶可違，自作孽不可活。」自己作業，自己埋葬自己。不這麼做，地球怎麼會壞呢？怎麼做他們都還是對，等到都壞了，已經不是我們這輩子的事，不知道是多少萬萬年後的事。地球還是很大的，挖吧！反正一時之間也看不出來！不過，還是看得出來，就在我們心裡。

如何淨心寡欲？多念聖號。剛才不是提到要至心？你不念，如何達到至心呢？我們由不至心而達到至心，一定會達到至心的，不要著急。「我一念就散亂心，怎麼誦？」當你念久了，散亂心就沒有了。你完全不念，才眞的是散了心。有些人也這樣問過我，他說：「我沒有念佛、沒打坐、沒念經的時候，好像沒有那麼多的散亂心，沒有那麼多的煩惱，我一念經就感覺自己盡打妄想。」大家怎麼理解？沒念經好像沒有煩惱，一念經好像多了許多煩惱。是不是這樣？沒有念經，你是在煩惱當中。你念經，就離開這個煩惱，回頭看煩惱是這樣的情況。你沒有念經，都在散亂當中，你又怎麼知道散亂？

你靜下來念經，另外又有些思想，於是覺得散亂心很多。如果不念經，你都在散亂當中，又怎麼知道散亂？念久了，你就達到至心了。一回拜懺沒有至心，兩回拜，拜久了，自然就產生力量。

現在我們有很多道友拜懺拜很久了。當他拜的時候，心裡很清淨。你永遠不接近，就永遠不理解。你接近了，漸漸理解，漸漸進入，一切事都是這樣子。不要因爲現在我還沒有達到至心，就感覺到很沮喪，不要緊的，至心是學習而來的。地藏菩薩告訴我們學習發願至心，多發願，多學習，至心就成了。至心一成了，道力也就成了，苦難就漸漸解除了。你發願願身心健康，沒有病苦，願家宅平安。六親眷屬平安了，所在地的台灣平安了。

另外到目前爲止，這個地球還是存在的，如果大家都不平安，台灣也平安不了，必須整個的地球都平安了，你才能得到平安。如果家族不平安，你一個人想安安靜靜的，辦不到，會有好多人來干擾，不是這樣嗎？如果子女、先生、太太，他們不平安，你一個人想在這家裡平安，我看搗蛋的多得很。大家都平安了，你才得到平安。人類都平安了，才平安得了。一切衆生都平安，人類才能平安。

我不是說吃葷殺魚宰鴨子是不對的，你要吃吃你的，你要殺殺你的。但是，你在殺、吃的時候，要生起一念慈悲心。你說：「我也不白吃你，我總得回饋你一下子，我要給你念念佛，讓你別再墮畜生。」你只要有這麼一念心，已經很不得了了。

在講《占察善惡業報經》時，專門講「至心」，「至心」就是至誠懇切，攝念專精，勇猛精進。你這樣的念，供養地藏菩薩，才有效果。如果泛泛的念，效果不大。這裡的經文沒有這樣說，因為這是〈序分〉，只是佛讚歎地藏菩薩的功德。到了眞正要用的時候，你一定得至心。所以每句經文都有一個「有能至心」，每一句都有「至心稱名」，不要把「至心」忘了。如果沒有「至心」，一點效果也沒有的。但是，這個「至心」要修行。修到「至心」很不容易，要先修「信心」。你必須先信得極，如果你含含糊糊的，一旦生病，認為還是找醫生要緊，念地藏菩薩有什麼用？那麼這個效果就沒有了。

有的道友也知道這個病是沒有辦法治好的，他就念地藏菩薩，至心的念，效果就產生了。但是有的人被蟲子咬、蛇咬，乃至中了毒藥，眞正能夠至心的念，或者是夢中吐出來，或者就醒著吐出來，他會有反應。地藏菩薩也沒有現身，也沒有什麼感應，他就是嘔吐，或者排泄掉。

從這一開始每一段經文都是至心稱名念誦歸敬供養，這幾句卻是連著的。第一，一定要「至心」，這些苦惱就能離除。不但離除現在的苦惱，將來死後不墮三塗。不會再墮入餓鬼畜牲，就能夠直接生到天上；生到天上以後，繼續聞法，繼續修道，證得涅槃。

「隨所在處，若諸有情，惡鬼所持，成諸瘧病，或日日發，或隔日發，或三四日而一發者，或令狂亂，身心顫掉，迷悶失念，無所了知，有能至心稱名念誦歸敬供養地藏菩薩摩訶薩者，一切皆得解脫無畏，身心安適，隨其所應，安置生天涅槃之道。」

每句「隨所在處」都是指地藏菩薩在什麼地方、在什麼處所，什麼處所就會得到利益。在那個處所的有情衆生，被惡鬼所持；有時候是狐仙、黃仙，被它們迷上，雖然說是迷上了，但是也必須有緣。這個惡鬼跟你有惡緣，不是人人都遇得到。我們佛弟子都是相信鬼神的，因爲六道衆生，鬼是一道。如果是一般不信佛的人，他對鬼神之說不見得信，認爲沒有鬼。有些人看到鬼，反而說你眼睛花，也不大相信。因爲六道之中，人跟畜牲，這是我們接觸得到的。衆生地獄餓鬼阿修羅天人，一般人沒有接觸到，就認爲他們不存在。

我在西藏的時候，河南鬧蝗蟲，蟲子把糧食都吃了；長綠葉，也把綠葉都吃了。西藏人不相信「蟲子吃糧食」的想法。因爲西藏從來沒有鬧過蝗蟲，他們絕不相信。因爲西藏是寒帶，高寒地區。許多世間相，如果那個地區沒有發生過，一般人是不會相信的。就像我們在六道之中說是鬼道，一般人沒有看見過鬼，他不會相信。

「惡鬼所持」，惡鬼不但附到你的身上，使你不舒適，或者附到另一個人身上，這個人就瘋狂迷亂了，或者拿刀動槍的殺你，他本人還不知道。像我看到一些扶鑾的人，我對那種現象一點也不懷疑。十幾歲小孩兒，他能知道什麼？但是神一降到身上，那扶鑾的人自動拿筆一動，就寫出很多首詩來，他知道什麼？你說有沒有？確實是有的。

佛的所有言詞，沒有一句、沒有一字是假話。往往我們所說的惡鬼所持，有些人不相信的。有時被鬼迷住了，到了最嚴重的情況，他發生瘋狂、狂亂，這類事情很多。有的人不相信，所以，我剛才講要至心，必須先建立信心。有信心而後才能至心。確實有些人被鬼所挾持的，還有些人是發瘧疾，一天發一次，或者隔一天，或者隔三四天，定時發作，那就是鬼神所挾持的病。它一發作，冷的時候冷得要死，熱的時候發燒得不得了。

瘧疾或者是惡鬼所持，令你狂亂，喪心病狂。我們看一個人瘋瘋顛顛的整天到處跑，狂亂了；一般正常的生活、正規的行動，他迷失掉了。這個時候他的親友能夠念地藏菩薩聖號，幫助他恢復一點知覺後，教他自己念。他如果自己能念，效果就有了。這種例子很多，大家一定要信，鬼道是一道。鬼比人多，人死了變鬼，畜牲死了也變鬼，六道衆生都是互相變化的，如果能夠至心的念誦地藏菩薩聖號，就能使這種病好轉，能夠驅逐惡鬼。

以前在萬佛城的時候，有一位老居士信佛好多年，他被一隻漢朝的狐狸迷住了，特別從紐約到萬佛城，請宣化上人給他治療。宣化上人那時候有位弟子，就說這隻狐狸不是一般的狐狸，是替他父親報仇的，叫白狐王子。我怎麼會知道這麼清楚呢？有一天，這位法師開車把這位老居士載到我那兒。讓我給他說法，因此我才知道得很詳細。從漢朝到現在，他確實是有，他見得到，我們沒有見到。他就要我跟他講法。我跟他講，冤家宜解不宜結，講苦空無常，他本人就哭了，那隻狐狸也哭了。以後，這位法師跟那隻狐狸結上因緣，不但不想離開它，在紐約講《法華經》，念大悲咒，這隻狐狸照樣跟他念大悲咒，狐狸跟他倆人合作起來。他講《法華經》時，也給人家加持，可是沒有地藏菩薩那種力量，那就有點不正常。

一般人被鬼神迷住之後，往往有這種現象，這是事實，但是也得跟他有因緣。沒有因緣，是不會發生的。特別是三寶弟子，爲什麼會遇到這種宿世因緣呢？我們念《地藏經》，念完了，就會看見，特別在夜間念會害怕，一念生恐怖感。有時候你還會念得發燒，或身上會發冷。這種現象是正常的，不要生起恐怖感。當你念《地藏經》，來的都是你的眷屬，不然到不了你的跟前；他們很想得度，聽聽《地藏經》，你要是念兩天，或者念幾次就沒有了，這種現象就消失了，這是必然的。

鬼神之道，自古以來就有的。哪個國家哪個地區都有，有的房子不安寧特別的怪。今天看到這些鬼想起了在紐約的時候，有一位道友，他還沒有受三歸依，她先生是日本人，在日本公司做事，她有一間屋子臭得不得了。就是上面所說的惡鬼，惡鬼的身體特別臭。後來她念地藏菩薩聖號，也念《地藏經》，要我們去替她灑淨，後來惡鬼就消失了。之前她灑什麼香水都不靈，都不行。這個事情確實是有的，大家要至心。我們佛弟子一定要相信佛所說的六道，鬼是一道。人死了變成鬼，還不容易呢！還得投生到鬼道，投生到哪一道，像投生到人道，投生到畜牲道一樣的，投生鬼道才能變鬼的。

「隨所在處，若諸有情，爲諸藥叉，羅刹，餓鬼，畢舍遮鬼，布怛那鬼，鳩畔荼鬼，羯吒布怛那鬼，吸精氣鬼。」

有一本翻譯的名相記，解釋這些鬼的名字，我大致按照次序念幾個就可以了。「畢舍遮鬼」就是吸血鬼，這種鬼是噉人精氣的，但是他不會現形的。你看不見他，他也不會現出來嚇你。他是在吸你的血，吸你的精氣；他不是從你身上吸取，如果你的排泄物有血，像醫院裡頭，特別是在媽媽生產的時候，這種鬼就噉那個氣息，並不是眞的吃，只要聞到那個氣息，他就是吃了。

其次是「布怛那鬼」，「布怛那」就是臭，他的身上奇臭。但是他不會吃東西，哪裡臭就往哪裡去，他就吃這個臭氣。現在美國、加拿大的廁所恐怕沒有了，因爲不臭了。他就到底下去了，專門找臭的地方，他吃臭的惡氣。但是這種鬼，在餓鬼裡頭福報最大，專門吃臭的鬼，怎麼還有福報呢？他是專門作弄人畜的，讓你鬧肚子，專門吃你的臭。他有吃的，餓鬼不會餓了，所以說他福報大。

「藥叉羅刹」，藥叉就是夜叉，是吃人血的，專吃人的精氣。我們往往把藥叉、羅刹同時並提，這幾種鬼是很惡的。

「鳩畔茶鬼」，就是甕形鬼，像一個罈子。過去有一個人，他的功名很大，人很正直的，他上廁所時遇到甕形鬼。他是有功名的人，身上有光，甕形鬼想躲他，想跑跑不出去，讓他給堵住。他從門外進來對甕形鬼說：「你不要走！」那鬼就不敢走。因爲那時候上廁所，沒有電燈，要拿著油燈，他說：「你就待在這兒。」他那油燈就擱在甕形鬼上頭，對甕形鬼也不害怕也不恐怖。等他上完了，就拿開油燈說：「你走。」這種甕形鬼歷史上有記載的。要看這些鬼的故事，有一本書〈閱微草堂筆記〉，是紀曉嵐作的，這本書裡面儘是寫鬼，他所寫的都是聽說的，跟〈聊齋誌異〉不一樣，〈聊齋誌異〉是編的；〈閱微草堂筆記〉大多數是紀曉嵐貶到新疆時所作的，邊疆地區這類事特別多，他聽到一個故事就記錄下來。「閱微」就是隱微的意思，我舉這些例子是證明這些鬼存在的事實。

「羯吒布怛那鬼」，這種鬼長的極醜，經常在墓地出沒；他不去一般的地方，他就是吃死屍，聞死屍。死屍腐爛的時候，鬼就是吃死屍的氣息。爲什麼比丘吃飯的時候，一定要施食給這些鬼；上供的時候，供養給一切衆生，也包括他們在內，如此一來他們就可以聞到氣息，得到香味的飲食。

「及諸虎狼師子惡獸，蠱毒厭禱諸惡咒術，怨賊軍陣，及餘種種諸怖畏事之所纏繞，身心慞惶，懼失身命，惡死貪生厭苦求樂，有能至心稱名念誦歸敬供養地藏菩薩摩訶薩者，一切皆得離諸怖畏，保全身命，隨其所應，安置生天涅槃之道。」

「厭禱諸惡咒術」，就是那些很討人厭的惡咒術。還有兩軍對戰，彼此對立的軍陣當中，所生起的種種怖畏事情。諸多纏繞，使你的身心無所適從，張惶失措，恐怕失掉身命。人都願意活著，不願意死，貪生怕死，這是人之常情。誰也不願受苦，都想求樂，「厭苦求樂」。如果面對這些危難的時候，你能夠至心稱名念誦歸敬供養地藏菩薩摩訶薩，一切的怖畏都能離掉，也能保全你的身命，逐漸的入道，隨你所應安置生天涅槃之道。這表示地藏菩薩的大慈大悲大願。他不怕多事，專管一切衆生的閒事，因爲他發了這個願。有些人則害怕管閒事，特別是我們這些老和尚，心裡頭總感到多一事不如少一事，自己修行就好了。

在這個娑婆世界上，最慈悲的是地藏菩薩、觀世音菩薩，他們專管這些閒事。雖然在他們來說是閒事，可是你還是得跟他們有緣。怎麼樣算是有緣呢？你能念他們的名字，能念聖號就是有緣了。能聽到他們的名字就不容易了，又能夠受持去念，遇到痛苦逼迫的時候，就想起來了。你不要喊娘，喊娘也沒有作用的。我們往往一痛苦了就喊媽，外國人喊媽咪，西藏人喊亞媽。我聽過好多語言，「媽」字還是沒有變。「媽」這個字生下來就會，好像是相同的。遇到困難、遇到痛苦的時候，總是喊媽，不過你要改喊地藏菩薩，或者喊觀世音菩薩，喊媽是解決不了問題的。你要喊地藏菩薩，當成是你的媽，那就解決問題了，眞正可以救你。

「隨所在處，若諸有情，或爲多聞，或爲淨信，或爲淨戒，或爲靜慮，或爲神通，或爲般若，或爲解脫，或爲妙色，或爲妙聲，或爲妙香，或爲妙味，或爲妙觸，或爲利養，或爲名聞，或爲功德，或爲工巧，或爲花果，或爲樹林，或爲床座，或爲敷具，或爲道路，或爲財穀，或爲醫藥，或爲舍宅，或爲僕使，或爲彩色，或爲甘雨，或爲求水，或爲稼穡，或爲扇拂，或爲涼風，或爲求火，或爲車乘，或爲男女，或爲方便，或爲修福，或爲溫暖，或爲清涼，或爲憶念，或爲種種世出世間諸利樂事，於追求時，爲諸憂苦之所逼切，有能至心稱名念誦歸敬供養地藏菩薩摩訶薩者，此善男子功德妙定威神力故，令彼一切皆離憂苦，意願滿足，隨其所應，安置生天涅槃之道。」

這些都能滿願，後面是世間法，前面是出世間法。想多聞多聽經，聞法意解。「多聞」，必須得聞慧，像我們在這裡是聽經聞法，似乎是哪個地方講經，我去聽一聽很容易，不大困難。可是對我來說，卻感覺到非常困難，很不容易。現在在大陸上有很多信佛的人，想聽個三歸依，他都聽不到。「不是有佛學院嗎？」大陸的佛學院是不許旁聽，講經、講法，只能在寺廟裡頭，不能集會講經，這是大陸法律所不允許的。

或許我們覺得「多聞」好像是很容易的事，其實很難，想聽一部經，不是那麼容易，必須有因緣。說者聽者，得有因緣。要說法，還得有處所。處所都很難，若聞到法，能夠生起清淨的信心，就更難了。我這樣說，大家別煩惱，淨信很難，淨信也包括我們這些出家的師父一聞法得到清淨的信心，如果分品位的話，要到五品位了，聞法才能清淨，心裡能清淨而能去聞法。

產生淨信很不容易，要我們思想當中，一點名聞利養、貪瞋癡愛，一切的忌妒障礙都沒有了。達不到清淨的信心，就念地藏菩薩，求清淨的信心。

我們現在信佛，夾雜了很多動機，所以效果不太好，開不了悟。儘管聽了好多部的經，你還是明瞭得很少。所聞的法，跟自己的心，契合不起來，你就產生不了眞正的清淨信。清淨信，不是我們隨便說一說就是清淨信，要你能夠覺悟到這個念頭不對，馬上止住才行。覺知「前念起惡」，能止其「後念不起」，這就有信心了。有信心位的道友們，爲了護持三寶，寧捨身命，從不考慮自己的身命，他考慮的就是佛法僧。我們有這種淨信嗎？而且他一聞法就能入，能入就能得定，能定就能生慧。他一定會發願，發願必須照自己的願去做，這都是淨信的表現。

再說深一點，相信自己是佛，這才叫淨信。你們念地藏菩薩，就相信自己是地藏菩薩。或者反聞，反觀，觀自己的心跟地藏菩薩的心是合一的，我心即佛心，也就是衆生心。不但自己如是淨信，也能轉一切衆生都能成爲清淨信心，這個得求地藏菩薩加持。當我們至心念地藏菩薩聖號的時候，你就是地藏菩薩，這叫淨信。你至心念阿彌陀佛的時候，你自己就知道自己已經成了阿彌陀佛。要建立這樣的信心，要尋求地藏菩薩的加持，而地藏菩薩的加持就是你的自心加持自心。

還有「淨戒」，不論你受的三歸五戒，八關齋戒，乃至於比丘的二百五十戒、比丘尼的三百四十八戒，乃至於菩薩的重戒。總的說，三聚淨戒，攝律儀戒，攝善法戒，饒益有情戒。爲了持清淨戒，自己得清淨。

「或爲靜慮」，靜慮就是定。定的別名，也就是三昧，靜坐思惟，思惟修。

「或爲神通」，大家都知道神通，人家不能的你能。你在這兒一作意就到了北京，一作意就到台北了；那兒的刀兵劫，你在這兒一舉手，刀兵劫消失了，仗打不成了。像有位大和尚他看見大火發生了，借別人喝的酒，把那酒灑到空中去，就把那個火撲滅了，火撲滅了但聞到有酒氣；他那時人在西安，卻把北平府的火滅了，這叫神通。不過這種神通還是小神通，大神通就是有智慧，慧性能夠通達一切。自然的心，恢復你自然本來的心，那就是神。神明天心，天心就是自性。很自然的心，通明慧性，妙用無邊，這叫神通。

但一般現的是一些小境界，這不是什麼大神通。菩薩用神通的時候，一定要轉衆生的惑業，消除衆生的業障，增加衆生的清淨信心。

「或爲般若」，般若就是指妙慧。我們讀《般若經》、《金剛般若波羅蜜經》，乃至讀《心經》，成就智慧。這個智慧不是一般的智慧，而是六度萬行的般若智，或者解脫道。「妙色」可作兩種解釋，就是相貌很莊嚴，超過一般人。三十二相，八十種好，都是妙色。還有無色的妙色，無形無相，妙色、妙聲、妙香、妙味、妙觸，就是色聲香味觸法，一加上「妙」字，就不可思議。叫色聲香味觸法，即非色聲香味觸法，是名色聲香味觸法，這才叫「妙」。達不到這個地步，不叫「妙」。「妙」就是不可思議，明明是青紅赤黃，但一切色相，非色相，因爲在它的性上，知道這是緣起的，不是眞的。在相上是現它的性，這就叫「妙」。色非色相，花非花，花不是花。

我記得念過一句對聯。「山色水色煙霞色，色色皆空。」色是沒有的，那是你的心所變現的。「風聲雨聲鐘磬聲，聲聲自在。」聲也是沒有的。所以這個妙色，妙聲乃至妙香，就如是而已。那不是一般的境界，要想達到這個境界，你得至心念地藏菩薩，把自己的心，跟地藏菩薩的心轉成一致，你就是地藏菩薩，才能達到這種殊妙的境界。爲名聞、爲利養、爲要作功德，你也可以。

「或爲僕使」，略說一下。家裡要想請幾個佣人，或者你要開公司，得雇用幾位職員，這就算是僕使了，或者你家裡要請保母，也算是僕使了。像這些情形求地藏菩薩加持一下，好像地藏菩薩什麼事都管。目的是你要至心念他的名號，等你念靈了，你自己的心思產生變化。《十輪經》是要轉變你的煩惱，前面是〈序分〉，說地藏菩薩的殊勝功德，讓你生起了一個信心，要我們相信地藏菩薩。你的心要是能信地藏菩薩，你的心就能跟地藏菩薩相合了。而後，把你的心轉成地藏菩薩的心，地藏菩薩的心就是大願，你也隨時隨順的發大願，地藏菩薩就是隨著諸佛菩薩發大願。

我們學他，我們也發大願。他為了成就我們，使我們跟他的願一致，使我們的心跟他的心一致，佛佛道同。你若能夠至心誠信的念誦歸敬地藏菩薩，那麼你以上所求的都能夠得到。為什麼呢？前面說過，地藏菩薩入了那麼多的妙定，由那個定產生那麼多智慧，他能轉化我們的心。在他加持你的時候，不是他給你的，而是你自心生起妙用，自然就具足。不要想地藏菩薩會給我們什麼，而是你自心生起的功德，生起的殊勝，你自己心裡頭的心力，跟地藏菩薩的妙定，不可思議的威神力結合在一起，所以才能離苦，離掉一切憂悲苦惱，那麼你所求的願望都能滿足。不僅如此，還能夠安置你生天涅槃之道。

「隨所在處，若諸有情，以諸種子，植於荒田，或熟田中，若勤營務，或不營務，有能至心稱名念誦歸敬供養地藏菩薩摩訶薩者，此善男子，功德妙定威神力故，令彼一切果實豐稔。所以者何，此善男子曾過無量無數大劫，於過數量佛世尊所發大精進堅固誓願，由此願力，為欲成熟諸有情故，常普任持一切大地，常普任持一切種子，常普令彼一切有情隨意受用。此善男子威神力故，能令大地一切草木，根鬚芽莖，枝葉花果，皆悉生長，藥穀苗稼，花果茂實，成熟潤澤，香潔軟美。」

這一段是講種莊稼的人，希望所種的莊稼長得好。或是你想種花，想讓屋裡的盆景養得好一點；你就對那個花盆念一念地藏菩薩，圍著它轉一轉。（不要笑，真的很好。）已經要死的盆景，特別是我們喜歡的君子蘭，蘭草，都快乾死了，回去後拜拜懺，祈求祈求，它就又長好了。但是這種小事的效果，如果當成是聖驗、聖果，那就糟了。我們學佛求地藏菩薩，要自然而然的，修行、拜懺，你已經不想這些事情，但你一作意，花草就很茂盛的，不可思議。

有一次我問西藏的喇嘛老師，我說：「西藏的莊稼長得這麼不好，我們的修法大師們有這麼樣的功德，找找地藏菩薩幫幫忙長一長，爲什麼就是長得不好？」他說：「不成！」我說：「爲什麼不成？」他說：「第一個沒有至心，第二個是業果已成。」要是業果已成，要轉業果必須能達到我們所講的第三個至心，深心。現在還沒有到達那個至心，不能至心稱名；至心有好多層次的，你到了什麼層次的至心就能得到什麼的效果。就像媽媽眞正想念兒子，想得很懇切，眞正達到至心，不論隔千里隔萬里，他的兒子馬上會感覺到，會很快回來。

在我們家鄉有這麼一件事。有位婦人她就只有一個獨子，她想念兒子，有人告訴她這麼一個方法：「妳站在門檻上，一隻手攀著橫木，一隻手拿著飯瓢兒。吃飯的飯瓢兒，盡力敲那個橫木，不用幾天，妳兒子就會回來。」這位老太太就天天敲，不到十幾天她的兒子眞的回來了。什麼原因？她兒子心裡不安，以爲家裡出了什麼大禍。趕回來沒有事，只是媽媽想他。這是說明至心的例子。

另一個至心的例子，有位媽媽懷念她的兒子，懷念得不得了，但是這位兒子對他媽媽非常不孝。不過媽媽愛護他，很至心。有一次，她的兒子雖見一幫人要朝普陀山，他也跟著要朝山。有人說：「你這麼不孝，你去朝山會影響我們。」他說：「不會的，我轉變了！」他就跟著大家去朝山。到了普陀山的時候海上出現鐵蓮花，海裡全是鐵蓮花，船開不動，大家就至誠的念鐵蓮花，他也跟著念。他看見觀世音菩薩跟他說：「你不要朝我，回家去。你一回家，這鐵蓮花就沒有了，回去吧！」他說：「我是來朝菩薩。」觀世音菩薩說：「你回去見到給你開門的那個人就是我。」

於是他就回去了。鐵蓮花也消失了，大家就開船繼續往普陀山前進，他沒有朝成就回家去，走到家裡頭的時候，已經夜裡十二點了，老母親已經睡了，他就敲門，媽媽聽到兒子的聲音就披著棉襖出來給他開門。那就是觀音菩薩度他倆娘母，他回來給他媽媽懺悔。那眞是懺悔，因爲他朝觀世音菩薩，觀世音菩薩感他的一念至心，就轉變成了孝心。至心的關係很大。

以上這些至心是小至心，不是我們要發的那個至心。我們要發願成佛度衆生，大家記住，凡是我們每位道友都應該發願成佛度衆生，這是我們究竟的願。不論〈淨行品〉、〈普賢行願品〉，發的是，願願度衆生，願願成佛，讓一切衆生都成佛。念這些般若經典，那是跟我們相干的，求般若智慧。除了這個，乃至於淨戒淨信，都是需要的。但是像生活用品就不必去求，愈多愈煩惱，愈少愈清淨。所以說「種子」、「荒田」這段經文是指我們的般若，可以這樣解釋。

「所以者何」，爲什麼地藏菩薩有這麼多的功力？佛又讚歎地藏菩薩。「此善男子」是指地藏王菩薩說的。「曾過無量無數大劫」，指經過的時間很長，是過數量的時間。「於過數量佛世尊所」，用數字計算也無法計算的佛世尊處所。佛世尊就是諸佛。他發的大精進堅固誓願，不但精進，而且堅固，絕不動搖；願絕不動搖，一定要達到目的。

大家檢查我們的願有沒有動搖過？當你受苦難的時候，遇著不順境界的時候，當你拜懺出了障礙，念經出了障礙，你還念不念？你拜懺拜不成，你還拜不拜？這些小事都克服不了，更何況成佛？所以必須堅固誓願。遇到什麼挫折、什麼困難，你一旦發了願，不要被這些外邊境界相轉了，要堅持不中斷。就是你發最少最少的願，受了三歸五戒，受歸依，那個代傳的師父給你講，說你要念「歸依佛」、「歸依法」、「歸依僧」，一天能多念幾次更好，如果實在是沒有時間念，早晚的相續念，最少十聲，你做到了嗎？連這麼個誓願，都做不到，怎麼能消災免難呢？既然是眼前的災難不能免，更遑論要免除你無量劫來的災難，消除禍業，證得般若智，乃至於成佛。

假使說，現前境界相，對我們會帶來損失，對別人卻很有利益，我們是不是肯受損失去幫助別人呢？每個人問自己的心，自己都能知道，都很清楚的。地藏菩薩的誓願，發心誓願成熟衆生故，他常普持大地，不只是我們的娑婆世界。前面一再的說，「隨所在處，隨其所應」，他在什麼地方，那個地方就得到利益；使一切大地普潤衆生，這是大地的覆載功能，如果沒有大地承擔我們，我們都生存不了。如果沒有大地生長萬物，我們生存不了。如果現在大地底下的汽油全斷了，如果不產生電力，我們怎麼活？特別是在發達的國家，如果沒有電，連飯都吃不成。現在冬天來了，天氣很冷，如果沒有電，暖氣怎麼運轉？會把你凍壞了。

「常普任持一切大地」，大地是指一切衆生的心地；給一切衆生成佛的種子，「常普任持一切種子」。在世相上說，就是大地上所有含藏的種子。一切的糧食是資生的，資助我們生命的，都是從地上出來的。我們現在舉目看一看，我們眼睛戴的眼鏡，身上穿的衣服，乃至桌子、椅子、板凳，你說哪一樣不是從地上出來的？哪一樣不是從地上生長的？所以說，地藏菩薩發的願，他是普任持一切大地，任持一切種子，令一切衆生都隨意受用，滿足衆生的願。

此善男子的威神力，能令大地，草木根鬚芽莖，枝葉花果能夠生長，乃至「藥穀苗稼，花果茂實，成熟潤澤，香潔軟美」，隨所在處都成熟衆生。這是資生的工具。再說到這衆生本身具足一切的東西，什麼東西都吃。

「隨所在處，若諸有情，貪瞋癡等皆猛利故，造作殺生，或不與取，或欲邪行，或虛誑語，或麤惡語，或離間語，或雜穢語，或貪或瞋，或復邪見十惡業道。」

殺生、偷盜、邪淫，這是身三，殺盜淫，加上妄言、惡口、綺語、兩舌四業，再加上貪瞋癡，意業，合起來就叫十惡業道。十惡業道，貪欲，瞋恨，邪見，非常猛烈。邪見，有時候就是無明，很猛烈。因爲猛烈的緣故，瞋恨心重。所以殺生、偷盜、不與取，人家不給，你去拿，或者強拿，或者偷拿，都屬於偷盜。盜者就是強搶，偷就是剽竊。不信三寶的人，他沒有這個緣，惡業很重。愈是這樣的人，愈是不容易聞見地藏菩薩名號。

「有能至心稱名念誦歸敬供養地藏菩薩摩訶薩者，一切煩惱悉皆銷滅，遠離十惡，成就十善，於諸眾生起慈悲心及利益心。此善男子，成就如是功德妙定威神之力，勇猛精進，於一食頃，能於無量無數佛土，一一土中，以一食頃，皆能度脫無量無數殑伽沙等所化有情，令離眾苦，皆得安樂，隨其所應，安置生天涅槃之道。」

能夠聽聞到地藏菩薩，又能夠至心稱名念誦歸敬供養地藏菩薩，一切煩惱皆得消滅，爲什麼呢？因爲至心稱念地藏菩薩聖號。這個境界相跟你的心能夠相合，心境一如，十惡業當然就可以消除，十惡轉成十善，就能變成十善業。十善就是生天的資本，生天的道糧。如果沒有十善業，生天是生不到的，沒有這個福份。在這個基礎上，又能對一切衆生，生起慈悲心，拔一切衆生的痛苦，給一切的衆生快樂，利益一切衆生，從不計較自己。如果你隨著地藏菩薩這樣發願，隨著地藏菩薩去做，你就是地藏菩薩，就能成就如是功德妙定威神之力，跟地藏菩薩一樣。

一談到勇猛精進，很難呀！我們若一天當中能做到五、六個小時，就感覺是修行，很不得了。東抽時候，西擠時間，恐怕也達不到八個小時，更談不上勇猛。

勇猛是說晝夜六時，就是二十四小時有勇猛的至心。他是不顧身命的，眞正的勇猛至心，至心懇切的念地藏菩薩聖號，想到地藏菩薩。他的妙定威神、勇猛精進，在吃飯的時間，「一食頃」，能入無窮無盡的妙定。我們前面講過，到無窮無盡的國度，凡他所在處，能有無量無數的佛土。在億萬的佛土國度之中，他能度脫無量無數的，像恆河沙數那麼多的衆生，化度那麼多有情，讓那麼多有情都離開痛苦，再不受痛苦，令那些衆生都能得到安樂。那麼隨其所應，對機說法，因機施度，隨其所應，安置到生天涅槃之道。

「此善男子，成就如是如我所說不可思議諸功德法，堅固誓願，勇猛精進，爲欲成熟諸有情故，於十方界。」

爲了讓恆河沙數的有情衆生，離苦得樂，讓他們證得涅槃，地藏菩薩有什麼不可思議的力量？有怎麼樣的救度方法呢？以下是說明他的救度方法，「如我所說不可思議諸功德法」，堅固的誓願，勇猛精進，想成熟一切的衆生。他怎麼做呢？這是佛說地藏王菩薩在十方世界中，爲了利益衆生，示現的同事，你是哪一類衆生，就示現哪一類身來度你，一共有四十二類。

「或時現作大梵王身，爲諸有情如應說法，或復現作大自在天身，或作欲界他化自在天身，或作樂變化天身，或作覩史多天身，或作夜摩天身，或作帝釋天身，或作四大王天身，或作佛身，或作菩薩身，或作獨覺身，或作聲聞身。」

「或時現作大梵王身」，大梵王身就是帝釋天，爲這些有情說法。或者現大自在天身，就是摩醯首羅天，示現大自在天王身，給這一類衆生說法。或者是在欲界的他化自在天身。或者是樂變化天，就是化樂天。或者現覩史多天，就是兜率天，就是六欲天。或者現夜摩天，第三天。或者現帝釋天，或者作四大王天身（也就是四天王身），現天人身乃至梵天、大梵天、六欲天，示現天身，跟他作同類。或者是示現佛身，菩薩只要登地之後，就能示現作佛身。乃至於在華嚴境界上，一發菩提心，一住位不退就能示現，七住菩薩就能示現佛身。

「或作菩薩身」，菩薩有多少位菩薩呢？有示現大菩薩，還有示現小菩薩。所謂小菩薩者就是一般的菩薩，像三賢位的菩薩。或者示現的二乘身，就是獨覺，聲聞，獨覺跟緣覺同是一個位子。

出生在有佛的時候，依十二因緣法而證通的就是緣覺。出生在無佛的時候，自己觀見物質的變化；春生、夏長、秋收、冬藏，他看一切的變化事物，證得悟道，那叫獨覺。聲聞是聞佛聲音說法，而悟道的。四聖法界，佛、菩薩、聲聞、緣覺，前面示現的是四聖法界。

「或作轉輪王身，或作剎帝利身，或作婆羅門身，或作筏舍身，或作戍達羅身，或作丈夫身，或作婦女身，或作童男身，或作童女身，或作健達縛身，或作阿素洛身，或作緊捺洛身，或作莫呼洛伽身，或作龍身，或作藥叉身，或作羅剎身，或作鳩畔茶身，或作畢舍遮身，或作餓鬼身，或作布怛那身，或作羯吒布怛那身，或作奧闍訶洛鬼身，或作師子身，或作香象身，或作馬身，或作牛身，或作種種禽獸之身，或作焰魔王身，或作地獄卒身，或作地獄諸有情身，現作如是等無量無數異類之身，爲諸有情如應說法，隨其所應，安置三乘不退轉位。」

以下示現的是人間相。或者作轉輪王身，或作剎帝利身，是小國王身，剎帝利是種姓。或者作婆羅門種姓，或者筏舍，筏舍又叫吠舍，就是工、農、商，也就是印度四種種姓當中的第三種種姓。婆羅門是最尊貴的，剎帝利是第二種，就是王種。工農商就是筏舍，戌達羅，就是奴隸，奴隸是最賤民。

或者現男人身，就是丈夫身。或者現女人身，或者示現童男童女身。或者健達縛，就是八部鬼身。或者阿素洛，或者緊捺洛。

或作莫呼洛伽，或作龍身，或作藥叉身，或作羅刹身，或作鳩畔茶身，或作畢舍遮身，或作餓鬼身，或作布怛那身，或作羯吒布怛那身，或作奧闍訶洛鬼身，或作師子身。

以下是畜牲，地獄等。「或作香象身，或作馬身，或作牛身，或作種種禽獸之身，或作剡魔王身，或作地獄卒身，或作地獄諸有情身，現作如是等無量無數異類之身。」

地藏菩薩在地獄現的身很多，連那些有情受罪的身，他也示現。這個時候去示現，給那些受苦難的人說法，他會聽受的。在監獄裡頭，還是有顯靈說法的，因爲有些喇嘛、和尙關在裡頭。

四川有間大廟，崇慶州的當家師，被判成地主關了起來，因爲他是當家，廟產歸他管。他跟我講一個故事，也不只跟我講，住我們那間牢房的人，他都講。他一講，很多人就信了，默念觀世音菩薩。不過，不敢明念，明念是不行的。什麼故事呢？剛開始，他被抓住，關了監，判了罪，發配往西藏去運輸，往康區運輸，運輸什麼？他是揹軍隊吃的糧食。一天是六十里路，揹六十斤，有限量的，還是合理的；不然過重了，你揹不起來。

有一次藏民打來，押糧的解放軍很少，解放軍都被藏民打死。那是解放初期，將入藏的時候，那時候的西藏人分不清楚漢人之間的差異。他只知道穿綠衣服的是解放軍，藏人認爲這個揹東西幫助解放軍是來害我們的，大家一亂，他害怕一跑，就掉到一個坑裡頭。上頭剛好有一陣風刮了一些爛草把他蓋上；這個時候很混亂，他就在坑裡念觀世音菩薩，等混亂過去，後面的解放軍一聽到糧食遭搶，大批解放軍開著汽車就來了。清理戰場的時候，他鑽出來，他的這包米毫無損失，解放軍還特別獎勵，說他是英雄，只有他所揹的這包米沒有事，人也沒有死。

雖然是這樣，後來還是懷疑他，不讓他揹米，就把他留在監房裡頭跟我們關在一起。大家問他：「你爲什麼沒有死呀？」他說：「你們別說出去。

我因爲是念觀世音菩薩，所以才逃過這一劫。」

我們在這裡是講地藏菩薩，念觀世音菩薩並沒有關係，最重要的是你的至心。在那個時候，他的內心什麼都沒有了，生命沒有了，亂民不會留活口。那兒怎麼會有坑呢？並且又掉到坑裡去？如果上面沒有草，藏民還是看得見，但就是看不見他，就這麼活著了。後來關在裡頭，他說：「我已經累得要死，一天六十里，我都五十幾歲了，揹著六十斤，爬山氧氣不夠，想脫離這個苦難也脫不了。觀世音菩薩不但在那兒救我生命，還把我救回來。在監獄裡頭這樣一待多好，一天到晚吃現成的，什麼都不用做。」念觀音菩薩可以，念地藏菩薩也如是，觀世音菩薩、地藏菩薩、文殊、普賢菩薩，隨便念哪尊菩薩，只要那時候能念就可以，好多人到了那個時候就是不能念。特別在我們臨命終的時候能念，隨便你念哪一尊菩薩，哪尊佛的名號，乃至於念大乘經典的一句偈誦。

《感應錄》裡頭有這麼一段記載，有一個人到了地獄門口，他只念了半句「若人欲了知，三世一切佛。」地獄就沒有了，他也得救了。很多人臨命終時，墮地獄的時候，或者墮餓鬼、墮畜生道，很可惜佛法全忘了！你可以用做夢的體驗，看你是不是心裡頭還有佛法僧三寶，只要你有一念，念出來，夢馬上就醒了，大家有沒有試驗過？或者念大悲咒，隨便你念什麼，就醒了。可惜，當你焦急的時候，就把佛法全忘了。那時候該念地藏菩薩！可是就是念不成。那時候沒有念，醒的時候才想起來。你平日不用功，到時候怎麼行呢？

所以說，地藏菩薩要度衆生的時候，隨他所應得聞法，應以何身得度者，即現何身；也現獄卒，也現閻王爺，甚至於現那些受罪的衆生，下油鍋上刀山。或者示現的時候，他會念地藏菩薩，地藏菩薩也會念地藏菩薩，或者地藏菩薩會拜地藏菩薩。地藏菩薩還要拜地藏菩薩？我說個故事。

蘇東坡跟佛印禪師兩個人到了大廟，蘇東坡看著觀世音菩薩像手中拿了一串念珠。他就問佛印禪師：「觀世音菩薩這尊佛像有串念珠，作什麼用呀？他要念什麼？」佛印禪師說：「他怎麼不要念？」蘇東坡問：「他念誰呀？」「他念觀世音菩薩。」聽，觀世音菩薩還要念觀世音菩薩？佛印禪師說：「是啊，觀世音菩薩念觀世音菩薩。」蘇東坡又問：「那拜不拜佛？」他說：「拜啊！」「拜誰？」佛印禪師說：「拜觀世音菩薩。」大家想一想這是什麼意思？蘇東坡於是開悟了，有沒有大開悟？悟一點，求人不如求己。

所以我一再跟大家講，你念地藏菩薩，就是念你自己。你的心就是地藏心，地藏心就是你的心。你忘了自己，沒有把自己擺進去，只念地藏菩薩，加持力相當的小。地藏菩薩的般若智慧照你，你的般若智慧就跟地藏菩薩的般若智慧結合在一起，你的自性，就叫自性地藏。念念從心起，念念還歸心。所以，求人不如求己。

不過，當你自己不靈的時候，還是要求別人。求人的時候就想到是自己。求自己的時候，就是求人。這要多想，多觀，要有相當的功力，才會產生相當的作用。你經常這樣想，念地藏菩薩就是念自己，念自己也就是念地藏菩薩。那麼你會做更好的夢，那種夢非常殊勝。什麼夢呢？夢醒了，所有的夢都醒了。現在我們都在夢中，我在這兒說夢話，你就在這兒夢裡聽，我們大家都在夢中。等到我也不說夢話，你也不去聽夢，大家都成就好了。祝大家吉祥！早日成就！

「善男子，如是大士，成就如是不可思議諸功德法，是諸殊勝功德伏藏，是諸解脫珍寶出處，是諸菩薩明淨眼目，是趣涅槃商人導首，如是乃至能無功用轉大法輪，如前廣說。」

這是前面所說的地藏菩薩四十二種身，應以何身得度者，就示現何身而說法；這裡只舉其中的一大類，每一類之中還有無量身。像是示現地獄的諸有情，地獄太多了。我們念《地藏經》，地獄那麼多，他能夠示現各種的身形。僅僅說到地藏菩薩的功德，是不可思議的。讚歎地藏菩薩的功德，是讓我們大家心嚮往之，希求菩薩的加持。前面我講了，這也是求你自己的心力加持。但是，必須對境，心是對境方生，對地藏菩薩這個境，就緣念地藏菩薩，你的心就轉變成地藏菩薩。效果如何？據我個人所了解的，心誠則靈。

最近這幾天台灣的道友給我打過兩次電話，有兩位極危險的病人，醫生認爲毫無辦法。一位居士的父親已經住醫院，必須開刀。但是醫生不敢開，說很危險。這位居士打電話給我，我說：「你自己至誠的念，念地藏菩薩聖號就好了。」在這個時候只有念聖號。因爲前面經文說，只要稱聖號，一心一意的，至心稱聖號，效果會很好。還有另一位居士的姐姐到林口長庚醫院，也是病情很危險，醫生不敢開刀，但是又必須開刀。她本來跟我在台北拜了好多次懺，在這種情況之下，我讓她停下來，給她姐姐迴向。

最近這兩天他們又都來電話說：效果很好，開刀之後很平安的。你說是有效驗，沒效驗？地藏菩薩是眞現了嗎？沒有現。反正他們開完刀，平安無事病就好了，這是眞的。以前我們所說的種類就太多了，乃至於五穀、花草樹木，這並不是菩薩管的寬，而是我們的心裡起變化。當你自己的親人發生危難的時候，如果他是信佛的弟子，效果會更好。如果他不信佛，就靠別的力量來加持，效果就不一定確切了。但是如果心懇切了，還是可以收到效果的。所以說，求師父加持，哪位師父加持？

我們前面講過，求人不如求己。觀世音菩薩還拜觀世音菩薩，就是這個意思。有沒有加持呢？當然有，你請幾位師父念經，或者請你自己的歸依師父在拜懺的時候迴向迴向，是可以的。但是這個功德並不一定是師父的，多數是自己的親人，以及自己的關心。如果那個師父大悲心不具足，像我，我不一定很關心他，而且是別人打電話介紹的，我從來沒有見過面，我就是關心，也只能對著這個人的名字緣想，而地藏菩薩是慈悲的，求地藏菩薩加持，去觀想，但是都不如他自己去求。若能至心稱念地藏菩薩，歸敬供養地藏菩薩名號；一切的煩惱，一切的病苦災難都會消滅，這些只是舉出來增加大家的信心而已。

這個功德是無量劫修來的，這就是地藏菩薩。

「如是大士」，就是指著地藏菩薩說的。他成就如是不可思議的功德，利益一切衆生，方便善巧。所有我們得到的利益，就是地藏菩薩的功德。他所有的功德不可思議到什麼程度呢？就像寶庫一樣，埋藏伏藏一樣，只要你挖掘就有。用什麼挖掘呢？稱名號的時候，就是挖掘。只要你至誠懇切的念「南無地藏菩薩」，乃至於下至心都可以念。所謂下至心是指念地藏菩薩名號的時候，念到了了分明不昏不散，自己心裡清清楚楚，一個字一個字的這樣念。當你念的時候就跟地藏菩薩相通了，所求的事情效果就產生了。你要感謝誰呢？要感謝地藏菩薩。

「是諸殊勝功德伏藏」，這是形容詞，形容他最殊勝的功德像寶藏一樣的。那個寶藏所含藏的都是利益衆生的功德。

「是諸解脫珍寶出處」，解脫本身就是珍寶。這是無形無相的，要怎麼樣才能解脫呢？空、無相、無願、究竟解脫。當我們求的時候，沒有能求所求，到了那個時候就解脫了，像珍寶一樣的。珍寶是形容詞，形容解脫的。地藏菩薩是解脫的珍寶出處。或者是我們想求珍寶，求地藏菩薩，乃至像地藏菩薩剛一到這個會中，在大集會中所有的一切衆生，雙手都現了末尼寶珠。末尼寶珠出現無量的珍寶，所以地藏菩薩是這一切解脫的珍寶。

「是諸菩薩明淨眼目」，要法眼清淨。我們看問題，眼睛是混濁的，分辨不清楚是非。如果收到寄來的郵包，知道這個郵包是炸彈，你絕對不會打開，因爲不知道是這是禍還是福。當我們看到一件好事，心裡高興得不得了，其實這是禍根。就像在台灣很注重生兒子，以爲這是幸福。他長大了，卻給你惹禍，傾家蕩產，那是禍根。你怎麼會知道呢？根本不知道。因爲沒有明淨的眼目，但這是就世間上說的。

就佛法來說，哪一法對你能夠開悟，能夠解脫，能夠成就？我沒有這種法眼，不知道我們宿生修了什麼，那就去摸索，這個師父講經，你也聽，那個師父叫你念佛，你也去念，另一個師父要念地藏菩薩你也去持，念觀世音菩薩你也去念。至於哪尊菩薩才對應你的機呢？要去試，因爲你沒有這個明。明就是有智慧，淨就是清淨的意思，這就是法眼，也就是法眼清淨。法眼清淨，對一切法你能看見諸法的本體。這就很深了，一切法本來是不生不滅、不垢不淨。要達到這種境界，才是究竟的，這是明淨眼目。那麼，地藏菩薩就是一切的菩薩。你要想了生死，想要求佛法，想要求開悟，想要證得解脫，地藏菩薩會幫助你，加持你，使你心明眼亮。

「是趣涅槃商人導首」，涅槃是不生不滅的意思。現在大家都想趣向涅槃，趣向涅槃是了生死。了生死，要證得究竟的解脫，像商人想入海去採寶，要有人指導幫忙。想要趣向涅槃，也必須有導師。找誰呢？就找地藏菩薩，地藏菩薩是趣向涅槃的導師，像商人入海採寶的樣子。

「如是乃至能無功用轉大法輪，如前廣說。」我為什麼在解脫珍寶這個地方，想到空、無相、無願呢？因為地藏菩薩做這些事的時候，是不假功用，不假修為，就能使那位求者得到好處。我們求地藏菩薩，念《地藏經》，及至稱聖號，那麼我們所求的達到了，環境轉化了。地藏菩薩也沒有放光，也沒有現身，有的人說會放光，現身，見瑞相，可是都沒有了，只要你所求的目的達到了，就可以了，那叫「無功用」。

我們修行的時候，能夠不假功用而自然成就，這是很不容易的。地藏菩薩所轉的大法輪，是不假作意的。一念之間在無量世界，示現無量的身形，度無量的眾生，同一時間頓現。這就是「無功用」。前面說的很多，所以「如前廣說」。

「善男子，假使有人，於其彌勒，及妙吉祥，并觀自在、普賢之類而為上首，殑伽沙等諸大菩薩摩訶薩所，於百劫中，至心歸依稱名念誦禮拜供養求諸所願，不如有人，於一食頃，至心歸依稱名念誦禮拜供養地藏菩薩，求諸所願，速得滿足。」

「善男子」是佛稱呼無垢生天帝釋。佛對無垢生天帝釋說，假使有這麼一個發善心的、想求解脫的男子，他在求解脫的時候，去求彌勒菩薩，或者文殊師利菩薩（妙吉祥就是文殊師利菩薩），或者是求觀自在菩薩，或者求普賢菩薩，不止求一個兩個，像恒河沙那麼多的諸大菩薩摩訶薩，那麼多的菩薩要求好長時間呢？求了一百劫。你要是至心歸依這些菩薩稱名念誦供養，那麼，不如「於一食頃」，一食頃就是吃頓飯的時間，至心歸依稱名念誦禮拜供養地藏菩薩。那麼他所求的願，能夠迅速的滿足，不需要一百劫那麼長的時間。

佛還怕無垢生天帝釋有所懷疑，就重新解釋一下。爲什麼我這樣說呢？這是校量功德，拿地藏菩薩和彌勒菩薩、文殊菩薩、觀自在菩薩、或者是普賢菩薩，相互比較。要是比較的話，求地藏菩薩願滿足快一點兒。什麼原因呢？

「所以者何？地藏菩薩利益安樂一切有情，令諸有情所願滿足，如如意寶，亦如伏藏，如是大士，爲欲成熟諸有情故，久修堅固大願大悲，勇猛精進過諸菩薩，是故汝等應當供養。」

「所以者何？」就是徵問的意思，因爲地藏菩薩利益安樂一切有情，令諸有情所願滿足，就像如意寶珠似的。就像前頭所說的伏藏，他伏藏無量的願心。因爲這位大士，「地藏菩薩」，「爲欲成熟一切有情，久修堅固大願大悲，勇猛精進」。他修的大願大悲，勇猛精進，「過諸菩薩」，超過前面所說的彌勒、妙吉祥、觀自在、普賢。「是故汝等應當供養」，這句經文我們多解釋一下子。文殊師利菩薩、普賢菩薩、彌勒菩薩乃至於觀世音菩薩，這四大菩薩是我們最熟悉的，我們所學的法，在此土說，就是娑婆世界，不是彌勒菩薩就是文殊師利菩薩、觀世音菩薩、普賢菩薩。

爲什麼佛拿這四位大菩薩來比較呢？因爲現在我們講的是《十輪經》，不是講《大般若經》。要是講《大般若經》，只有妙吉祥菩薩，只顯文殊師利菩薩。如果講《彌勒上生經》，只有彌勒菩薩。現在我們講的是《十輪經》，所以在講哪部經的時候，佛都要推崇哪一位菩薩，拿其他菩薩來比，這就是顯，使你生起殊勝的心。因爲衆生的心，分別心特別重。哪一個功德大，他就找哪一個，他是這樣想的。

其實，求人不如求己，你應懂得這種道理。地藏菩薩跟觀世音菩薩、文殊菩薩相比較，那個功德大的？文殊菩薩已經成過佛，現在還是佛，示現菩薩身的。觀世音菩薩也是過去成過佛的，都是古佛。但是在凡夫心中，我們會生起分別心。

在講這部經的時候，佛特別推崇地藏菩薩，說他願力堅固，大悲心猛。觀世音菩薩，他是大悲觀世音，大悲心是一樣的。因爲我們現在學的是《十輪經》，所以佛特別推崇地藏菩薩的功德。地藏菩薩所度的衆生，所去的地點，度衆生的處所是地獄，是三惡道。這一點就很殊勝的。難道觀世音菩薩不是嗎？我們放燄口的「面燃」大士，那位餓鬼不是觀音菩薩化現的嗎？佛佛道同，並不是阿彌陀佛比釋迦牟尼佛高，也不是藥師佛比釋迦牟尼佛高。

如果沒有釋迦牟尼佛，我們也不曉得什麼叫《藥師經》，什麼叫阿彌陀佛？有人唸了阿彌陀佛，把釋迦牟尼佛都忘了。有人只曉得阿彌陀佛，連釋迦牟尼佛都不太熟識。佛是不會有忌妒障礙的，跟凡夫不一樣。我們會說：「我介紹給你，你竟然把我忘了，你只念他，不念我！」那不叫佛。

我的意思是說，在讀誦這部經的時候，至心歸依稱名念誦供養地藏菩薩；因爲地藏菩薩堅固的願，勇猛精進，超過彌勒、妙吉祥、觀自在、普賢，佛也是誠實語，佛不會說假話的。但是在這部經裡頭他特別凸顯地藏菩薩。要是講《地藏經》，連文殊菩薩、虛空藏菩薩、觀世音菩薩，也都讚歎地藏菩薩。要是念〈普門品〉，你供養六十二億恒河沙那麼多的菩薩，不如一食頃供養觀世音菩薩，意思都是一樣的。

我之所以這樣說，是因爲在座的道友有念〈普門品〉的，也有念〈普賢行願品〉的。如果這麼一說，以爲只要念《十輪經》就可以了，因爲地藏菩薩的功德那麼大都超過他們，那就錯誤了。菩薩是一樣的，功德都一樣。這個菩薩，我們學到他一點點，就夠受用成就了。

「爾時十方諸來大眾，一切菩薩摩訶薩，及諸聲聞天人藥叉健達縛等皆從座起，隨力所能，各持種種金銀等屑，眾寶花香，奉散地藏菩薩摩訶薩，復持種種上妙衣服，末尼寶珠，眞珠花鬘，眞珠瓔珞，金銀寶縷幢旛蓋等，奉上地藏菩薩摩訶薩，復以無量上妙音樂，種種讚頌恭敬供養地藏菩薩。」

「爾時十方諸來大眾」，這個大集會是過數量的，菩薩也是過數量的，不能用數量知道這裡有多少菩薩、聲聞、緣覺，佛說法的會上都是這樣子的。十方諸來大眾，指一切的菩薩摩訶薩，還有聲聞，天人，藥叉，八部鬼神。聽佛讚歎地藏菩薩，都從他的座位起來。「隨力所能」，就是盡其所有，他力量有多大，他就供養多大力量。供養什麼呢？就是「金銀等屑，眾寶花香，奉散地藏菩薩摩訶薩。」盡他的力量供養地藏菩薩。每個法會，菩薩乃至於諸佛都會供養。在那個會中的時候，他方來的諸佛都供養釋迦牟尼佛，也供養地藏菩薩，從他們的座位起來，聽佛讚歎地藏菩薩。隨他力量所能及的，不用回去再取，也就是身上所戴著的，是這樣「隨力所能」的供養。大家都是說金銀珠寶那一類的，奉獻給地藏菩薩。

還有的「持種種上妙衣服」。上妙衣服，在《地藏經》，在一切經論上，都是這樣說的。要穿新衣服的時候，先供養地藏菩薩。要吃好東西的時候，先供養地藏菩薩，乃至於供養觀世音菩薩、普賢菩薩，都如是。新買的玩具，也先供養菩薩，凡是你認為好的東西，要使用的，都先供養菩薩，這個習慣要是養成了，你的功德不可思議。

以下還有末尼寶珠，真珠花鬘，真珠瓔珞金銀寶縷幢旛寶蓋，奉上地藏菩薩摩訶薩。還有無量的上妙音樂、樂具，或者唱段歌，唱段讚頌詞，乃至於種種讚頌來恭敬供養地藏菩薩。但是地藏菩薩接受了這種供養之後，他又怎麼做呢？在〈普門品〉上，無盡意菩薩供養觀世音菩薩，觀世音菩薩是不受的。無盡意菩薩再請，之後，還得佛囑託令觀世音菩薩，憐愍無盡意菩薩及與會大眾，觀世音菩薩才受了，受完了，觀世音菩薩就把所受供養的東西分作兩份，一份奉多寶塔，一份供養釋迦牟尼佛。

這個會上只有佛在，所以地藏菩薩把所有的供具、大家供養的所有東西，都迴向供奉世尊。不止供養，還要說讚頌詞。

「爾時地藏菩薩摩訶薩，持此種種上妙供具迴奉世尊，而說頌曰：

天人龍神所供養，十方菩薩皆來奉。

聞救世有大功德，唯願受我最勝供。」

我拿在手上的這些供具是天人龍神十方菩薩，他們來奉獻給我的，我又轉奉獻給世尊。人人都知道世尊是救世的大功德者，唯願受我最勝供。他們供養我，所以我又轉供養給世尊。

「爾時地藏菩薩摩訶薩說是頌已，頂禮佛足，於是世尊復說頌曰：」

地藏菩薩摩訶薩說完了這個偈頌，頂禮佛足後，又回到座位上，之後，世尊又說頌言，稱揚地藏菩薩。

「起堅固慧清淨心，滅諸有情無量苦。
施眾妙樂如寶手，能斷惑網如金剛。
起大悲慧具精進，善持妙供奉世尊。
以海智救苦眾生，登諸趣有無畏岸。」

佛說：「供養得很好，你有堅定不移的智慧，那就證得法性。」我們不是講一實境界嗎？一實境界的心，是真心，也就是妙明真心。同時，你能夠滅一切有情的無量苦難。布施那些極微妙的音樂；寶手是彈音樂的妙手，也能斷一切衆生的疑惑，就像金剛一樣。金剛智能斷一切的惑網。

「起大悲慧具精進」，有一個大悲心度衆生的智慧，而且，長時這樣度，精進不懈。

「善持妙供奉世尊」，你所供養的是很微妙的。這位大菩薩轉供養佛的時候，把所有的供養具，經過變化，把所有寶物合成一個寶蓋或者一個幢旛，不再是原來的物質了。好比大家供養佛，我們看見的只是蘋果、水果或者是梨子或者香花，但是經過供養一轉化，這個香花又遍滿十方界。如果你是修供養的，念過〈普賢行願品〉第三個大願，廣修供養願，當你的花鬘裝在花藍裡頭，拿去供養佛的時候，如果你懂得如何供養的，一定要修觀想；諸位道友應該都修過的，如果沒有修過的，我重覆說一下。

你要觀想這個花鬘，別認爲它就只是這麼大。用你的心力把它盡虛空遍法界都化成這個花鬘。這花鬘看似只在這個娑婆世界供的，或者是在溫哥華供的，但是它已經遍滿娑婆世界，已經到了極樂世界供養極樂世界阿彌陀佛，也已經到了東方藥師琉璃光如來世界。若我們知道的不多，只知道西方阿彌陀佛，那是大家很熟悉的，或東方藥師琉璃光如來，也就是常念的《藥師經》，或上方十方的諸佛，乃至於拜〈占察懺〉，裡面五十三佛的名字都很熟悉吧！想像花鬘遍滿每個佛國土，每個佛菩薩都有，這就是意供。那麼，這個花鬘就不只是目前這個狀態了，一切都會生起變化。誰起變化了呢？行者的加持力，修行的人。也就是四衆弟子，比丘、比丘尼、優婆塞、優婆夷，供養的時候，假他的心力供養的，這叫妙供，這種供不可思議。

同時你的智慧像海那樣的深，像海那麼樣的大，永遠救度受苦衆生，無窮無盡。海水永遠不枯竭，千河萬河流入海裡，海水也不會增加的。那些諸佛菩薩的智慧像海那樣深，像海那樣廣，能容納一切，使一切衆生、一切諸趣衆生，都能夠到達無畏彼岸，都能夠成佛。我們連說個讚歎的偈子都不會。諸佛菩薩讚歎的時候，所用的語言、文字是很微妙，變化非常大，我們知道到彼岸就成佛，但他不說彼岸，而是說無畏岸，或者智慧岸，或者般若岸，這是文字的技巧。

「爾時地藏菩薩摩訶薩，即從座起而白佛言：大德世尊，我當濟度此四洲渚，世尊弟子一切苾芻及苾芻尼，鄔波索迦，鄔波斯迦，令其皆得增長憶念，增長守護憶念，增長壽命，增長身體，增長無病，增長色力，增長名聞，增長資具，增長親友，增長弟子，增長淨戒，增長多聞，增長慧捨，增長妙定，增長安忍，增長方便，增長覺分聖諦光明，增長趣入大乘正道，增長法明，增長成熟有情，增長大慈大悲，增長一切白法，增長妙稱遍滿三界，增長法雨普潤三界，增長一切大地精氣滋味，增長一切眾生精氣善作事業，增長正法精氣善行，增長智慧光明，增長六到彼岸妙行，增長五眼，增長灌頂，增長生天涅槃。」

「爾時地藏菩薩摩訶薩，即從座起而白佛言」，地藏菩薩供養佛之後，他就回到座位，佛又稱讚說：「你供養得很好！」又給他說偈頌，地藏菩薩又從他的座位起來頂禮佛，向佛說：「大德世尊」。稱佛爲大德，「大」是無量的意思，凡佛一切經論上所說的「大」，就是說我們的「體」，就是「一實境界」，或者說「妙明眞心」，或者說「如來藏性」都可以，名字雖然不同，都是假名。但實際上就指一個「大」字。《大方廣佛華嚴經》、《大乘妙法蓮華經》，都是「大」，這個「大」就是「當體」的意思。

稱讚佛的德是大德，就是這樣的意思。「世尊，我應當遵照佛的指示。

對於這個洲，對於這個世界」，就是我們經常說的四大部洲，「此四洲渚」。「世尊弟子」，就是釋迦牟尼佛的弟子。僅是這四洲的釋迦牟尼佛的弟子，（四衆的弟子包括苾芻、苾芻尼、鄔波索迦、鄔波斯迦，這是指出家的二衆，在家的二衆。出家就是比丘、比丘尼，在家就是男居士、女居士，也就是近事男、近事女。）我令他們都能夠增長憶念。

「增長憶念」，就是增長智慧的意思。我們不是沒有記憶力嗎？在《地藏經》十二品上說，讀經沒有記憶力，讀了就忘了，教一遍記不得，教幾遍也記不得，這就是沒有記憶力，學過的都記不得。地藏菩薩說，「我能幫助他們，令他們增長憶念。」增長憶念，這裡當然是指念佛、念法、念僧。所以，「他已經有了信心，已經在學佛法，我給他們增長」，這叫增上心；必須念念增長，念念增上。愈增長，智慧愈大，福德愈重，是這樣的涵義。

「增長守護憶念」，憶念要保護。爲什麼？睡眠的時候，要念念「歸依佛」、「歸依法」、「歸依僧」，或者早晨一睜眼醒了，念「歸依佛」、「歸依法」、「歸依僧」，守護佛法僧三寶，千萬別失掉了。那就是守護的意思，就像保護我們的財產一樣。

「增長壽命」，先從淺入深，這都是衆生要求的，沒有人會希望短命的；除非他太憂愁苦惱，不想活了。自殺還是有的，爲什麼呢？因爲很苦，活得不耐煩，活著沒有興趣。所以說，「增長壽命」，是人人願意要求的。地藏菩薩就向佛發願，濟度佛所教化四洲渚弟子，四洲是專指南瞻部洲、北拘羅洲、東勝神洲、西牛賀洲，這個四大部洲說的。

「增長身體」，這個有一種解釋，或者想求身體健康的，或身體本來很醜陋的，想變得漂亮一點兒，帥一點兒的，或者是你感覺自己個兒太小，想增長一點兒的，所以「增長身體」包括很多種類，這也都是你所希求的。你本來就沒有病，若再增長一下永遠不害病，就是「增長無病」。「增長色力」，增長你的體力。「增長名聞」，這是我們所希望的，誰都希望有個好名聲。「增長資具」，就是資生的器具，幫助你活著的器具，包括住的房子、汽車，所需要的器皿等，都能滿足。

「增長弟子」，或者指佛說，或者指佛的四大弟子說的。不論出家、在家，都想徒衆多一點；有的人不一定求徒衆多，徒弟多了麻煩，子孫多了也麻煩。但這是地藏菩薩的願，以下就不同了。

「增長淨戒」，就是你受的三歸五戒，乃至比丘比丘尼的戒；在家有五戒、有八戒、有六重二十八輕戒，都能夠清淨，永遠持清淨戒。

「增長多聞」，多聞，有聞法殊勝；增長聞，多聞，聞了就生長智慧。

「增長慧捨」，就是指著布施說的，捨，再說深一點，就是把我執捨掉，不要執著我；但是這個要有智慧，捨是很不容易的。有智慧的人，一切都能捨，包括他自己的身命都能捨，這是靠智慧。

「增長妙定」，怎麼叫妙定呢？就在你一切行動當中的定力，這是不可思議的，現在你聽經入了定，可不是打瞌睡，是眞正入定，在定中聽經。所以諸大菩薩，他利益衆生的時候，都是在定中。我們看他飛來飛去，其實他是在入定。所以這部經一開始的時候，地藏菩薩在早晨就入那麼多定，一切時一切處，都在定中。

「增長安忍」，安忍就是忍辱，但是他爲什麼不說忍辱，而是說安忍呢？

對於我們來說，我們都是不守本份的多，忍就可以守住你的本份。守本份的事，包括太多了。自從有了智慧，有了妙定，就能夠保護定慧不失，能夠調濟讓定慧均等，這叫安忍。從安忍能產生一些方便善巧，像地藏菩薩入的那麼多定，那麼多利益衆生的方便，那就是方便善巧，有了智慧，就生方便慧；有了智慧，一切的方便都是解脫的。如果沒有智慧，方便就是束縛的。像我們做什麼事情，四處遇到障礙，你也發心度衆生，度不了，完了還衍生出很多麻煩，四處產生波折；就是因爲沒有那種善巧慧，處理不得當。

「增長覺分聖諦光明」，覺分是指著菩提說的，而七覺分，那是別說的。增長菩提，就是增長你自己的覺悟，這個覺悟可以使你的聖諦光明，這個聖諦，可以依著實際理諦而證得的聖位，說成佛也可以，十地菩薩也都是聖位，乃至從這個初教義來說，四果阿羅漢也是聖諦；那個法也叫四聖諦法，增長聖諦光明就是智慧的意思，諦本身就是光明。

「增長趣入大乘正道」，能夠運轉你自己的本心，就是大乘。我們講一切，應該不離你的心，這是眞正的菩提道。眞正的菩提道，心外無法，法外又無心，一切法就是你的心性所顯現的，這就是大乘正道。

「增長法明」，了解一切法的性體，不要在相上起分別；了解一切諸法的法性，這叫有智慧，這叫眞正的明。

「增長成熟有情」，深淺都可以說，成熟什麼呢？成熟一切有情；增長你所思教的，不是發願利益衆生嗎？那麼，衆生是不是能夠成熟呢？能夠依教奉行呢？是不是能夠依教奉行而能成道呢？例如，四衆弟子，我們依照佛的教導輾轉化度衆生，使他們都能信入，都能依教奉行，都能修行，都能成熟了，成熟就了脫了，使有情都能夠成熟。增長大慈大悲之心，就是增長菩提心；菩提心包含很多，大慈大悲，就是菩提心。

「增長一切白法」，即清淨法，清淨法是什麼呢？一切戒定慧，一切佛所教導我們的法。白法就是清淨法，消失的是黑法，黑法就是染污法。在後面的經文〈無依行品〉、〈有依行品〉當中，會詳細講黑白的道理，一切法上面都是總說，後面會解釋，前面先總說一下。

「增長一切衆生精氣」，有精神有氣力；精者純也，氣就是氣質。因爲你是佛的弟子，使四衆弟子都能精純於佛的教導，人們一看見，我們佛弟子是不同，他的氣質表現，人們一看見就很恭敬，同時善作事業。

「善作事業」，能夠增長正法精氣善行，增長智慧光明，這個意思都是相同的。增長到彼岸的妙行，而六波羅蜜，布施、持戒、忍辱、精進、禪定、智慧，這都是不可思議的殊勝妙行，能夠到成佛的彼岸。

「增長五眼」，五眼是肉眼、天眼、慧眼、法眼、佛眼，從凡夫地到佛，我們是肉眼，現在大家都是肉眼，肉眼是有障礙的，別人拿手一擋，你什麼也看不見了。沒有光明，你也看不見。肉眼是障礙的，不是通達的；肉眼礙非通，天眼通非礙，天眼通是報得的，他能看見一切，能看見我們，但是我們看不見他。慧眼就是照了一切俗諦的，俗諦就是方便慧。有慧眼，慧眼當觀俗。第四眼就是法眼，法眼了眞空，俗諦眞諦二諦。佛眼是照一切。對於五眼，現在我們是停留在肉眼的階段。但是有一些個別的報得的人，生下來他就能看見，也就是現在所說的特異功能。他能看見地下的事物，這是報得的，這類功能些畜生也有。有些狐狸、黃鼠狼子、狐黃柳豆，有的是長蟲、四種仙狐黃柳豆四仙，還有鬼，我們上面念的大力鬼神，他們都是有神通的，但是那不究竟的；他們還是有障礙，他們沒有天人的眼，看得更通達一點兒，這叫報得的通。天人就是報得的。慧眼跟法眼，那是修得的，佛眼是究竟成就的。這叫五眼，我簡略這麼說一下子。

「增長灌頂」，灌頂的解釋有很多。受灌頂是從印度來的儀軌。以前在印度的時候，希望爲降生的小孩子求加持的。本來是國王爲降生的太子，找位修道者，修道者不一定是佛，外道六士都可以；用四大海水來給太子灌頂，消除災難。就像我們求法，用法水灌頂。我們現在學密宗修法的「灌頂」，是專有名詞，本來有多種灌頂，這個地方所講的「增長灌頂」是指得到加持的意思。這是指法灌頂說的。

我們在修觀的時候，也要自己給自己灌頂。或者觀藥師佛，或者觀阿彌陀佛，住在你的頂上，加持你，增長你入涅槃的機會。地藏菩薩的加持，使佛四大洲的弟子，都能夠在他原來的基礎上逐漸的增長。如果原來一點兒也沒有，怎麼增長？在原來的基礎上增長。如果已經在學法修道，就增長他證得如來果位的機會，或是要讓他脫離三塗；之後能夠生天，享受幸福，而且還能夠聞法。

「所謂有名具足水火吉祥光明大記明咒總持章句，我於過去殑伽沙等佛世尊所，親承受持此陀羅尼，能令增長一切白法，增長一切種子根鬚芽莖枝葉花果藥穀精氣滋味，增長雨澤，增長有益地水火風，增長喜樂，增長財寶，增長勝力，增長一切受用資具。此陀羅尼，能令一切智慧猛利，破煩惱賊，即說咒曰：」

地藏菩薩有個咒，什麼咒呢？「具足水火吉祥光明大記明咒總持章句」，持就是三昧。地藏菩薩有這麼一個三昧，簡言之就是眞言，也就是咒語。這個咒語的名詞，就叫「具足水火吉祥光明大記明咒」，也叫「大明咒」。《心經》也可以稱爲大明咒，大光明的意思，也是總持的意思。「這個咒，我在過去殑伽沙等佛世尊所，經過好多佛，像恆河沙數那麼多的佛，一粒沙是一個佛所，在那個世尊所，我親自受了這個灌頂，親自受了這個陀羅尼，就是指這個咒、這個三昧，要是念誦這個咒，一切善業都能夠增長，一切惡業都能消失。增長種子，乃至於根鬚芽莖枝葉花果藥穀精氣滋味，增長雨澤。」

「藥穀精氣」，這有點神，我們服的藥，像人參蟲草、貝母、靈芝，這種藥必須是野生的，才可以滋補人的身體，健康長壽。這些植物怎麼能增長呢？必須雨水調配，降雨滋潤，特別是增長有益的地水火風。沒有風的力量，糧食是不長的，微風吹動的糧食就像拿手拔的那樣的快，大家要知道風的力量。火是暖氣，爲什麼夏天雨季長，冬天雪季它又不長，因爲暖氣不夠，就不能長。

地大是堅牢性，增長地大的堅牢性，使它別壞，別發生地震。這四大增長，乃至於增長這些衆生的喜樂，增長衆生的財寶，增長殊勝力量，增長一切的受用資具。前面已經說過「增長資具」，這裡又重覆的說一次。重覆說的意思，就是念這個咒，使這些能得到增長，這就是陀羅尼，能令一切智慧猛利，破除煩惱賊。這個咒就有這麼大的功德。這個咒語，洪居士怕大家念錯，已經注了音。將來如果大家想持誦的時候，再重新的印幾份，誰想要就給誰一份。我念一遍，如果大家跟著默念一下，或者我念一句你念一句，也算受了。

「讖蒱，讖蒱，讖讖蒱，阿迦舍讖蒱，縛羯洛讖蒱，菴跋洛讖蒱，筏羅讖蒱，筏折洛讖蒱，阿路迦讖蒱，萏摩讖蒱，薩帝摩讖蒱，薩帝昵訶羅讖蒱，毗婆路迦插婆讖蒱，鄔波睒摩讖蒱，奈野娜讖蒱，金本剌惹三牟底剌拏讖蒱，刹拏讖蒱，毗濕婆棃夜讖蒱，舍薩多臘婆讖蒱，毗阿荼素吒，莫醯隸，萏謎，睒謎，斫羯洛細，斫羯洛沫呬隸，廁隸，諢隸，揭剌婆跋羅伐剌帝，欠嚇，金本臘辟，金本剌遮囉飯怛泥，曷剌怛泥，播囉，遮遮遮遮，欠隸，弭嚇，鷖羯他，託契，託齵盧，闥嚇，闥嚇，弭隸，磨綻，瘴綻，矩隸，弭隸隸，盎矩之多毗，過嚟，祁嚟，波囉祁嚟，矩吒苫沫隸，敦祇，敦祇，敦具隸，滸盧，滸盧，滸盧，矩盧窣都弭隸，弭咩第，彌咩綻，叛荼陀，喝羅，欠棃，滸盧，滸魯盧。」

這個大明咒總共是六十五句，念第一遍當然不熟，將來多念幾遍就可以了。如果想持的話，一天持七遍，也就是地藏菩薩前面所求的，唸這個咒，我們就能得到，這跟大悲咒、其他的咒語具有同樣的力量。這個咒的義涵是不能講解的，我翻不出來，當然也不會講。

「善說能淨諸有塵，善說能淨鬥諍劫。
善說能淨濁惡意，善說能淨濁大種。
善說能淨濁惡味，善說能淨濁惡氣。
善說能滿諸希望，善說能成諸稼穡。
善說能令一切佛，如來世尊所加護。
善說又能令一切，菩薩加護而隨喜。」

「善說」是指是佛說的，讚歎佛的偈子，或者說這是諸佛善說的咒語。

諸佛所說的這個咒，能清淨一切有塵垢，也能清淨鬥諍的劫；現在我們這個劫就是鬥爭的劫。人跟人鬥爭，集體跟集體鬥爭，國跟國鬥爭；有鬥爭，就說明這個時候很不好。念這個咒，可以使鬥爭消失一點，但是還要看我們念的力量夠不夠。用這個咒語能夠清淨惡的意念。

「善說能淨濁大種」，現在地水火風，渾濁得都不守規律，經常發生水災，地大本身有地震；風災、火災都是非時的，由其他四大種起的種種災害。

「善說能淨濁惡味」，濁惡味可以指現在我們這個環境很污染的；這種味道很不好，要是吸到這種味道，會使身體不健康，壽命不會長久。味跟氣兩者是相通的，坐汽車很舒服，又快，但是汽油味很難聞，這就是濁惡氣。

「善說能滿諸希望」，這個咒能滿你的一切希望，或者指這一切諸佛都能夠滿一切衆生的希望。這個「善說」，可以指是說得很好，善就是說得好，說得最好的還是佛。現在地藏菩薩說這個咒，這個咒也是無量諸佛說的；所以持這個咒的時候，能滿足希望。

「善說能成諸稼穡」，就是我們種的莊稼、五穀都能成熟豐收。

「善說能令一切佛，如來世尊所加護。」這兩句話要連起來說，持這個咒，能令一切諸佛，能令一切世尊，加護我們，使我們的善業早日成就，早成道業。

「善說又能令一切菩薩加護而隨喜」不止諸佛加護你，持著這個咒，也能令一切諸菩薩都照顧你，加護你，隨喜你。以上是偈誦，讚頌這個咒。

「世尊，如是具足水火吉祥光明大記明咒總持章句，我於過去殑伽沙等佛世尊所，親承受持此陀羅尼，能令增長一切白法，廣說乃至增長一切受用資具。」

這個咒的名字叫「具足水火吉祥光明大記明咒」，這個總持章句是經過很長的時間，經過像恒河沙那麼多的佛世尊，地藏菩薩在佛前親承的，也就是如來親自傳授的。這個陀羅尼咒，能夠使一切的白法增長，乃至於能增長的受用資具，誰需要受用資具，生活想得舒服一點兒，那就多念咒，你的資具就充足。

「大德世尊，此陀羅尼，普能濟渡此四洲渚世尊弟子一切苾芻及苾芻尼，鄔波索迦、鄔波斯迦，令其皆得增長憶念，廣說乃至增長一切受用資具，此陀羅尼能令世尊甘露聖教熾然久住，利益安樂三界眾生。」

「大德世尊」，地藏菩薩又尊稱釋迦牟尼佛，大德世尊。「此陀羅尼」，這個咒語。「普能濟渡此四洲渚」，世尊的弟子，弟子之中包括比丘、比丘尼、鄔波索迦、鄔波斯迦、優婆塞、優婆夷，也就是佛教的出家男眾女眾，在家的男眾、女眾，總說起來就是佛的四類弟子，他們都能夠增長憶念，得到總持。憶念不失，就是記憶力增強，所有吸收進來的、所聽的一切法，不會忘記，憶念受持。乃至於你眼睛所看到的事物，念的經，只要念一遍，就可以憶念受持，永遠不會忘失的。要是廣說，一切所受用的，都能夠滿足，那麼，這個陀羅尼咒，使聖教就像甘露一樣，普濟群生讓他熾然著。「熾燃」，光明熾盛之貌，就像大火燒的時候那樣子，永遠久住世間而不喪失。

「利益安樂三界眾生」，不但人間天上，這裡是指著欲界、色界、無色界。三界衆生，是指四洲渚。我們現在是南瞻部洲，這是對著我們說的，我們要是持這個咒就能得到這些加持。

「爾時地藏菩薩摩訶薩演說如是大記明咒總持章句，時佉羅帝耶山普皆震動。俱胝天樂不鼓自鳴，雨無量種天妙香花及珍寶等。一切衆會咸悉驚躍，皆獲希奇，得未曾有。」

說這個咒語的時候，發生六種震動；這個道場，就是說法的處所，大地震動，還有上億的天的音樂器具，沒有人吹，鼓沒人打，鐘沒人敲，它自己就鳴響。在說這個咒語的時候，還有無量的天妙香花及珍寶，像下雨似地降到佉羅帝耶山。與會的大衆，包括諸大菩薩，「咸悉驚躍」。這個驚不是害怕，而是歡喜踴躍。歎的意思，是太稀奇，太難得，都懷著這種稀奇不可思議的心情。「得未曾有」，從來未見者見到。就在這個時候，有一批天女從座而起。

「時眾會中有大吉祥天女，具大吉祥天女，大池妙音天女，大堅固天女，具大水天女，放大光天女而爲上首，總有一萬八千天女，於四大種皆得自在，從座而起，稽首佛足，合掌恭敬而白佛言：希有大德，甚奇世尊，我等雖於諸四大種得自在轉，而不能知是四大種初中後相，生滅違順，如此大士，已得微細甚深般若波羅蜜多，能善了知是四大種初中後相生滅違順。」

共有一萬八千天女，這裡只舉了爲首的幾位天女。這些天女都是修地水火風四大種法的，對於這四大種皆得自在。地水火風四大種當中，只舉水火，其實也包括了地風。這些天女，共有一萬八千位，她們從座位起來了。「稽首」就是頂禮的意思，稽首佛足，就是向佛頂禮。「合掌恭敬」，她們要向佛請教。「而白佛言，希有大德」，世尊，太稀有，太甚奇，「甚奇世尊，我等雖於諸四大種得自在轉」，她們對地水火風能夠得自在，不被地水火風轉，而且能夠轉地水火風。「而不能知四大種初中後相」，不知道諸四大種初成時候的相，乃至止住的時候的相，乃至於毀滅的時候的相，也就是不知道初中後三種相，對於這個四大種的「生滅違順」，她們沒有辦法掌握。地藏菩薩對四大種了解這麼深，已經得到甚深的般若波羅蜜多，得到四大種的甚深智慧。她們向佛請問，佛就告訴她們。

「佛言：如是如是，天女，此善男子，已得微細甚深般若波羅蜜多，能善了知是四大種初中後相，生滅違順。天女當知，如如意珠，具足眾德，能雨種種上妙珍寶，施諸眾生，此善男子亦復如是，能雨種種覺支珍寶，施諸眾生。如寶洲渚，種種珍寶充滿其中，此善男子亦復如是，成就種種覺支珍寶。」

「佛言如是如是」，妳們說的不錯。「此善男子」是指地藏菩薩，因爲他已經得到甚深微細的深般若波羅蜜多，已經得到究竟到彼岸的智慧，所以能了解四大種。「四大種初中後相」的「生滅違順」，怎麼樣算是順？怎麼樣算是違？違背四大種，四大種就會生起相反的作用。順四大種，四大種就使你的資生工具悉能充足；違背四大種，不但不能夠給你爲善，反而給你作了禍害。例如說地水火風初成時的相狀，乃至住止時候的相狀，毀滅時候的相狀，四大種會給我們帶來災害。但是它也給我們帶來一切的吉祥，沒有四大種沒有辦法生活，對它的違逆順遂兩方面都要能夠掌握。

「天女當知！」佛就對一萬八千天女說，妳們應當知道這四大種的違順情況，那麼地藏菩薩所掌握的，就像他手裡拿的如意寶珠那樣子似的，能夠具足衆德，令四大種對衆生作出利益，使地大生出種種的上妙珍寶，用此布施於衆生。「此善男子亦復如是」，地藏菩薩也能夠這樣子做。

「能雨種種覺支珍寶，施諸衆生」，這裡是指以法布施，不是用世間的珍寶形容著地藏菩薩。他示現各種種類，隨類教化，而能夠使他們覺悟。

天女向佛請問，佛答覆說，讚歎地藏菩薩的種種功德，特別是四大種，對地水火風，初中後相，一切轉化的過程，地藏菩薩能夠如實深知的。同時佛對這些天女說，此善男子的功德就像如意寶珠一樣的；如意寶珠是比喻的意思，從如意寶珠能生珠寶滿衆生願。這位善男子，對一切法，都能夠如實了知，也就是能夠稱性而了知。所以，能雨種種上妙的珍寶。「上妙珍寶」是形容詞，能給一切衆生說一切法，讓衆生能聞法得開悟、意解，免除苦難。

「此善男子，亦復如是」，地藏菩薩也能利益衆生，就像如意寶珠雨一切寶。那麼，他所雨的寶珠，不是世間的寶珠，而是使一切衆生能夠覺悟，能夠聞法意解的法寶；以珍寶施諸衆生，像產生珠寶的寶渚洲一樣。此善男子所伏藏的一切法，是由無量劫來，聞法積存伏藏的一切珠寶，地藏菩薩就有這麼多功德。

「如天波利質多羅樹，衆妙香花之所嚴飾，此善男子亦復如是，種種微妙佛法珍寶而自莊嚴。」

「如天波利質多羅樹」，天波利質多羅樹是帝釋天才有的寶樹，這種寶樹不像我們的枝葉花果，它是由一切珠寶織成的，這個善男子就像天波利質多羅樹一樣，具足一切的珍寶，又具足一切的佛寶，用一切法寶所裝飾。是什麼法寶呢？就是微妙的佛法珍寶，而且是莊嚴的。佛說法都是先運用比喻，而後說法，法、喻兩者合說的；但是恐怕大家在法上不清楚，所以先說比喻。這些珠寶、寶樹，都是比喻，形容地藏菩薩，以一切法來莊嚴。

「如師子王，一切畜獸無能驚伏。此善男子亦復如是，一切眾生無能驚伏。」

能摧伏一切，能降伏一切的意思，就像在獸類之中，獅子王就是能摧伏群獸。這是拿世間上大家所見到，所能承認的事物，來形容地藏菩薩所具足的法功德。

「譬如朗日，能滅世間一切昏暗，此善男子亦復如是，能滅一切眾生惡見無明昏暗。譬如明月，於夜分中，能示一切失道眾生平坦正路，隨其欲往皆令得至，此善男子亦復如是，於無明夜，能示一切迷三乘道，馳騁生死曠野眾生，三乘正路，隨其所應，方便安立，令得出離。」

「譬如朗日，能滅世間一切昏暗」，朗日就是沒有雲彩遮蓋的意思，清朗的太陽，去除一切昏暗。地藏菩薩所在的佛土，隨所在處，都能使一切眾生，免除昏暗的痛苦，能夠得到光明，也能滅除一切眾生的惡見、昏瞶、無明煩惱；就像明月似的，明月在夜分當中，可以使失道者找到道路的；看不見路的眾生，能夠走到平坦的正路上。

「隨其欲往皆令得至」，在月光照耀之下，他想走的路，不會走到歧路上。這位善男子，就是指地藏菩薩說的。「亦復如是」，像明月似的，示現眾生一條光明正大的道路。「於無明夜，能示一切迷三乘道馳騁生死曠野眾生」，無明夜是我們在生死迷途當中，地藏菩薩就能令出離。三乘就是聲聞、緣覺、菩薩，三乘道果，雖然還不是究竟，但是你能了生死。這都是比喻，比喻地藏菩薩利益眾生的時候，能夠隨眾生他所要求的，以種種的方便安立，令眾生得到利益，得到出離。

「譬如大地，一切種子樹山稼穡地身眾生之所依止，此善男子亦復如是，一切殊妙菩提分法之所依止。」

譬如像大地一樣的，一切種子，樹木、山林、稼檣，這些都能依靠大地而生長；衆生要想出離這些苦難，依止地藏菩薩就能夠得到法身。這位善男子也能有如是的功德，給衆生一切的殊妙菩提分法之所依止。「菩提分」法就是覺悟的道，覺悟的道很多，在法相上經常說的是三十七道品，也就是八正道、七覺支、八正道、五根、五力、四正勤、四如意足。在這裡是總說的，形容佛讚歎地藏菩薩的功德，有這些功德，他給衆生的不只是世間的七寶而已，而是法財。

「譬如大寶妙高山王，善住堅固，無缺無隙，此善男子亦復如是，善住一切不共佛法。由不棄捨諸衆生故，名爲無缺，一切善根皆善施與諸衆生故，名爲無隙，譬如虛空，一切衆生皆所受用，此善男子亦復如是，一切衆生皆所受用，此善男子成如是等無量無邊諸功德法。」

「不共佛法」，是佛所具足的。四無畏，那是不共的，一共有十八不共法。具足了十八不共法，只是不跟凡夫共的，不跟二乘共的。其實這些大菩薩都具足的，地藏菩薩對一切衆生是不棄捨的；我們就不行，對待自己的子女，要是他們不孝順或不聽話就棄捨了。朋友之間稍爲不如意，都要棄捨，或者對哪一個惡衆生，我們會感到厭煩。

住的時候，要挑選上好的地區，這也是棄捨的涵義。對於六親眷屬，我們都要接近好一點的。所謂好一點的，就是他不壞，不亂攪。如果以菩薩的眼光看，愈是這些衆生，他愈是度化。最壞的衆生是下地獄的衆生，地藏菩薩到地獄去度這些衆生。所以，他度化衆生是沒有嫌棄的時候，甚至做了五逆十惡的衆生，他都要想盡一切方法來度化，使他們能夠種上善根，能夠學習佛法，能夠得到出離。只要有那麼一點的縫隙，他都能夠滲入來教導，不讓衆生墮落下去。像什麼呢？像虛空似的。虛空是平等利益衆生，誰都可以去，他是沒有吝惜的。我們活在虛空當中，地藏菩薩就像虛空那樣子的對待一切衆生，滿足一切衆生的要求，一切衆生都能得到受用。

地藏菩薩成就了佛所讚歎的無量無邊功德法。爲什麼佛這麼樣讚歎地藏菩薩呢？爲的是要說佛的大集十輪。因爲讚歎地藏菩薩，使大家對地藏菩薩的信仰心增長興盛，只要一聞到地藏的名號，就產生了一種殊勝感、親切感、希求感，希求地藏菩薩。因爲地藏菩薩能夠使我離苦得樂，所以一切危難都可以求地藏菩薩。我們有些道友感覺自己的願太多，或者太囉嗦，或者說求這樣又求那樣，「地藏菩薩不覺得厭煩嗎？」有人這樣問我。我說：「《地藏經》上已經指出，你縱有千百萬億那麼多的希求，地藏菩薩也不會厭煩的，但是有一點，你得至心，至心就能得到相應，如果你不至心，就像沒有一樣的。」這叫因緣法，因緣遇到了就生起。地藏菩薩是要給一切衆生助緣的，成就我們，使我們離苦得樂，但是我們沒有那個因。

地藏菩薩是普遍加持的，但是在這個地球上的六十多億人口，恐怕有太多人沒有聽過地藏菩薩名號，縱使聽到名號，也生不起信樂心，沒有去求他，也得不到這個願望。沒有這個因緣，怎麼能得到呢？連名號都不得聞呢！所以地藏菩薩在《占察善惡業報經》上說：「如果不至心，雖念我的名號，等於沒有念；聽到我的名號，不名爲聞也等於沒有聽到。」這個涵義就是你跟地藏菩薩這個因緣沒有建立起來，雖然聽到名號，你沒有什麼信樂心，沒有感覺到他對你能產生什麼利益，因此就叫「不名為聞」，雖然聽到等於沒有聽到是一樣的。儘管他有這麼多的功德，普遍利益一切，如果沒有生起信樂心，乃至不能至心，那麼，是不是完全沒有功德呢？不是的。雖然聽到地藏菩薩名號，或者拜懺不至心，連下下至心都沒有，但是你已經種下遠因。功德是種下了，種子是種下了，當你再次遇到，就會生起信樂心，又生起精進心，漸漸也就成熟了。

像大家之所以能夠這樣拜懺，都不是一生兩生，而是多生結的因緣。從此更能增長，今生你就能離苦得樂，自己對佛法能夠有所了悟，要經常注意這樣的一個問題。因緣遇到了，你一定要承當，無論是苦的、樂的，因緣已經成熟，你現在受到的，要承當。過去了，因緣沒有了，要放下，這就叫做解脫；因緣會遇時，應該自己受果報；你不想承受，推也推不了，更增加煩惱，更增加災難。你承當了，就會減少。

一件事情已經過去了，要放下，不要總是留戀回憶；也就是每一個人在心中，過去的事情已經過去了，還在留戀，這對我們的害處非常的大。所以要知道因緣所生法，一切都是假的。可是地藏菩薩啓示我們的，就是一個總的方向。要是有這樣的心情，懂得這種道理去學法，你容易悟、容易進入，不然的話很不容易進入。

講《占察善惡業報經》的下卷，就是講因緣所生法即是空的意思，講一實境界。這個地方是讚歎地藏菩薩，我就略說這麼幾句。因爲地藏菩薩所成就的功德，不是一般菩薩所成就得到的；這是因爲他的願力，而且時間是過數量的，地藏菩薩早就成就了。前面佛讚歎地藏菩薩，說他的成就，說他的發願久遠，就拿彌勒、文殊、觀音、普賢比較，這是我們大家熟悉的四大菩薩，這是使我們對地藏菩薩生起殊勝感。

「時諸大眾聞說地藏菩薩摩訶薩成就無量稱讚功德，皆獲希奇，得未曾有，尊重恭敬，皆大歡喜，至心諦觀地藏菩薩，目不暫捨。爾時世尊重顯此義而說頌曰：」

大家都感到眞正的希求，「皆獲希奇」，有殊勝的意思。「得未曾有」，過去未聽說過，對地藏菩薩產生了尊重恭敬，生起大歡喜心。「至心諦觀地藏菩薩，目不暫捨」，觀察地藏菩薩德相。地藏菩薩來到在會中，大家就這樣觀察他，諦觀德相。無論是修觀音法、修文殊法、修普賢觀法，在《法華經》最後一品是觀普賢菩薩，我們修每一法都如是，在這裡你必須觀地藏菩薩的相。無論你請了紙像也好，瓷的也好，乃至銅鑄的也好，隨便哪一尊像，只要感覺很莊嚴，殊勝感生起的時候，你就要觀想。就從他的寶座開始觀起，或者是蓮花座，或者是在九華山地藏菩薩座前那隻狗—善聽，從那隻狗身上開始觀想也可以。最好是先觀蓮花，地藏菩薩坐在蓮花上，觀那個蓮花的光明，乃至地藏菩薩跏趺座的光明；再觀察縱身的光明，觀察頭部的光明。由下往上觀，經常這樣觀想，讓地藏菩薩的光芒住到你的頂上，地藏菩薩面相，入到你的心臟之中，你的心臟有蓮花瓣，自己去觀想，就觀想成熟了。先是度你，後來跟你合而為一。

你這樣觀想，再加上誦《地藏經》，久而久之，你只要一作意，地藏菩薩就在你心中，別人看見你，或者你在說話，幫助別人，給別人迴向，地藏菩薩就會加持你。自己沒有什麼力量，但是因爲你這樣觀想地藏菩薩，地藏菩薩就入到你的身心，地藏菩薩力量就跟你合而爲一。所以，別人能得到好處。這些與會的大衆都是大菩薩，他們對於佛如此讚歎地藏菩薩，感覺很稀奇，從來沒有聽過，得未曾有，所以尊重恭敬，皆大歡喜。

諦觀地藏菩薩，「目不暫捨」，就是目睛不瞬息，即專注一境，思想已經專注了，目不暫捨跟目不轉瞬是一樣的意思。佛恐怕與會大衆沒有完全注意到，所以重覆說一遍。以下一共有二十四誦，一個誦是四句，就是重覆讚歎地藏菩薩。我們現在解釋這個發起的〈序品〉，還沒有講《十輪經》正文，只是在要開始講這部經之前，地藏菩薩先讚歎佛的功德，互相酬唱，讓與會大衆生起清淨信心。佛恐怕大衆還沒有聽清楚，又用偈的題材再重頌一遍。

「地藏眞大士，具杜多功德，現聲聞色相，來稽首大師。」

這是第一頌。「地藏眞大士」，眞大士者不是冒充的，也不是假的。眞的意思，就是已經證得了一實境界，已經證得了眞如心，已經證得了法界性，這個「眞」字是這樣說的。「大士」是尊稱，「杜多」的意思就是能夠除去一切塵垢，能夠除去一切煩惱，把一切煩惱變成功德。在我們是煩惱，在諸佛菩薩就是功德，他就以此度衆生。

但是地藏菩薩示現的是聲聞相，爲什麼現聲聞相呢？聲聞要持比丘戒，戒相清淨。但是他示現的相很多，前面講了很多，不過，在這個法會當中地藏菩薩示現的是聲聞相。「來稽首大師」，即來向佛頂禮，大師是指佛自稱的。

「施諸衆生樂，救脫三有苦，雨無量種雨，爲供養大師。」

把一切快樂施給衆生，這叫與樂，是大慈悲心；慈能與樂，施給衆生一切快樂了。衆生都在苦惱當中，他怎麼能快樂得了呢？衆生的苦惱消失了，他就快樂了。我們走夜路時，沒有燈光，聽到怪聲怪氣的，又怕鬼，又怕是野獸。前面說過，地藏菩薩示現光明，像月亮似的，就不恐懼了，就不會誤入歧途。這不是很快樂？欲界、色界、無色界，是三有的衆生，都在苦難中。

雨無量雨，不是下大雨，而是雨無量的珠寶、衣服像下雨那麼樣多。爲什麼呢？「爲供養大師」，供養佛。

「天帝無垢生，觀察四方已，合掌恭敬住，讚請於大師。」

這是佛說的，佛說在會中有位無垢生天帝釋，他看見四方所有的與會大衆。大家對這件事有點懷疑，也就是不明瞭的意思。因此，這位無垢生天帝釋，他看看四方，大家希望了解，他就合掌恭敬，住於佛前，讚歎請佛說，爲什麼天雨這麼不可思議，每個人手上都有如意珠，爲什麼會有這種奇特相呢？就請佛說法。

「我見世尊衆，末尼寶光明，遍照諸佛國，無不皆明了。」

這是無垢生天帝釋向佛說的話，他說：「我看見每個衆生都有末尼寶珠，末尼寶珠放光明，乃至這個光明照到十方國土，一切國土都顯現，好像眼前一樣，也就是這個光明把諸佛國土的世間相都照明了。」

「六通照世間，今當來至此，勇猛名地藏，現出家威儀。」

一般都是天耳通、天眼通、他心通、宿命通、如意通等五通，不過在這裡加上漏盡通，就是六通。現在地藏菩薩來到這兒，「勇猛名地藏」，是說他修行利益衆生的事業，非常的勇猛精進。但是他現的不是菩薩身，而是出家的威儀，這是迴小向大的意思。因爲這個大集會中有過數量的聲聞衆，地藏菩薩現的是聲聞像，主要是度這些三有苦的衆生，以及還沒有迴向大乘的聲聞二乘。所以他示現的是同類。

「七聖財伏藏，無畏佛音聲，諸菩薩勝幢，衆生之尊首。」

七聖財，有時候也叫七財，是七樣財寶。有時候叫七德財、七法財，總之，就是七種聖法。聖法就是殊勝的法。哪七種呢？就是信、戒、慚、愧、聞、布施、定慧。攝心不散，就叫定。攝心不散亂，不昏沈，這本身就不是財富所能買到的，這就叫財。這個財是法財。攝心不散亂，並不是不明瞭，而是能照了一切諸法，用般若智照一切法。第七個財，是定慧財，不但不散而且能照了一切，照了諸法，這叫七聖財。這七聖財所含藏的寶藏，是埋藏在地底下的。埋藏到哪裡呢？埋藏到衆生的心裡，地藏菩薩能夠幫我們挖掘出來。或者說地藏菩薩，就含藏這七種財。衆生只要對他恭敬供養至誠懇切的禮拜，就能得到。

第一個就是信。「佛法，唯信能入」，沒有信是入不到的。信必須得有力，沒有力量，你得的福報是世間福報。信要是產生力量，就能生起作用。我跟大家說過好多次，最起碼你能夠覺知自己，若生起煩惱，馬上能覺知到控制住，讓那個煩惱消失，不隨煩惱轉，這個信就有力量。覺知這個念頭不對，馬上就使這個念頭止住，不再相續。覺知前念起惡，能使後念不再起，這樣就是有力量了，不過這僅僅是初具信心。如果你是過去多生有善根的人，這一生雖然是從來沒有聞到佛法，或者突然聽人講，或者有人跟你一說，身上的毛孔就張開了，那就是說明你過去的宿世善根深厚，一聞就能進入，這叫有信了。佛在世的時候，那些大阿羅漢，一聞到佛的法音，馬上鬚髮自落，出家了；心開意解，證了阿羅漢果。見思煩惱通通斷掉了，這才眞正是具足信力。如果沒有這種境界相，我們就要修行。

要證得這個信心，得修一劫，需要一劫的時間了。以小劫爲例：人壽八萬四千歲，過一百歲減一些，再過一百年再減一些，減到人壽命十歲，八萬四千歲就進入八萬四千的一百年。那麼過一百年減一些，過一百年減一些。減到人壽十歲，再從人的壽命是過一百年增一些。過一百年增一些，一增一減，才算一劫。就說小劫，你要修得信心的話，都要經過這麼長的時間。你也別以爲太長，好比人的壽命，四天王天的一天，人間是五十年。那麼四天王天的壽命是五百歲。第二天是忉利天，忉利天的一天是我們人間的一百年，忉利天的壽命是一千歲。第三天是夜摩天，夜摩天的一天一晝夜，是我們人間的兩百歲，夜摩天的壽命是兩千歲。第四天是兜率天，我們人間四百年是他的一晝夜，他的壽命是四千歲。

現在釋迦牟尼佛入滅了三千年，僅僅是忉利天的八天。所以道宣律師在受天人奉供的時候，就問說：「釋迦牟尼佛入滅了，現在在什麼地方？」天人：「你說的是哪一位釋迦牟尼佛？」大家聽這問話的涵義，是釋迦牟尼佛有千百億，你說的是哪位釋迦牟尼佛？他說：「就是我們這個南瞻部洲，這個娑婆世界。」天人說：「我看到釋迦牟尼佛還沒有入滅，他還在講經。」

天人看的跟我們看的不同，所以我們的感覺是很長，像活了一百歲，很長很長；可是四天王才兩天，人間一百歲就只有他的兩天，兩晝夜。對於時間的問題，大家應當這樣認識。在修行的時候，修二十四小時，他看到才是一會兒，很短暫的時間。所以，天人看見我們一天到晚在懈怠，這一百年儘是在玩，沒有看見你在修行。天人是不接觸你，他看見人間是髒的。他下來給道宣律師送飯，是因爲他看見那個地方是清淨的，有道者的地方是清淨的。用眼睛看不容易，我們看見佛堂很清淨的，很殊勝的。不信佛的人到這兒來看，覺得很淒涼的，很不好。像大廟都建在深山裡頭，毫無人煙，要用爬的才爬得上去。我們朝五台山覺得很殊勝，不信的人看見覺得很破爛。我們看見護法神，應當很莊嚴的。我們看那塑像，塑得莊嚴很感動。他看見：「唔，這尊塑像的藝術價值很高。」他是從另一種眼光來看的，一切的事物，每個人看法不一樣。

而這個七聖的伏財伏藏，信心、持戒乃至於慚愧、定慧，這都是聖財，這叫法寶。「無畏佛音聲」，佛的音聲是四無所畏的，是無量的，是無盡的。這是法，這是讚歎地藏菩薩的，因爲地藏菩薩也具足了佛的音聲。「諸菩薩勝幢」，幢旛寶蓋就像代表一個國家的國旗似的，菩薩就是殊勝的法幢，建立法幢，是給一切衆生作示導的，就是這個涵義。「衆生之尊首」，爲一切衆生所尊敬的。

「解脱寶所依，福海具精進，悲意樂聰敏，救苦諸有情。」

把解脱形容得像寶一樣，地藏菩薩是一切解脱寶所依賴的。地藏菩薩是我們可以依著求解脱的，我們求解脱寶的人，就要依靠地藏菩薩。他那種精進的力量，勇猛精進，所求的福德智慧，像海那樣深，像海那樣廣。「悲意樂聰敏」，悲意就是他的大悲心，悲意就是大聰敏大智慧。我們總想著，悲能拔苦，我們希望地藏菩薩拔除有情的痛苦，希望自己能夠聞法，能夠有智慧，聰敏是智慧的意思。而我們要跟地藏菩薩結合，地藏菩薩的大悲，是給一切衆生智慧，讓一切衆生都有智慧；有了智慧，才能離苦得樂，他才來救度。諸有情面臨苦難的時候，衆生才能信仰，才能持受。

我們儘管學了《占察善惡業報經》，也有人學了很久，但是可能連占察輪都還不會用，即使會用，也不會相應，因爲他沒有生起那種至誠心。我曾經跟大家說過，學《占察善惡業報經》上半卷，要多看一看經文，然後再去擲占察輪。不看經文就去擲，就像擲銅板、擲六爻卦，不會相應的。要禮拜，要稱誦名號，如果不相應，就再拜；那就是消業障，不管相應不相應，你就是禮拜。稱誦地藏聖號的時候，罪業就消失了。

一切佛法都告訴我們一種方法，怎麼樣離苦得樂？我很缺錢，地藏菩薩可以滿足你的願，資生資具。你要求洋樓，多拜拜地藏菩薩。你想擁有寶馬汽車，或者賓士汽車，只要是你喜好的，或是想要達到的目的，就叩頭，求地藏菩薩、地藏菩薩就能給你。他不一定通過哪一個管道給你。在大陸上有好多人就希望天上掉下一位從美國來的親戚，把他救了，給他好多錢，又給他開個舖子，有沒有這種事呢？不但有，也確實不少。但是這只是眼前的快樂，過了就沒有了。

求地藏菩薩給你的快樂，可不是這樣，是了生死，使你開悟，要是通了，你會因爲拜地藏菩薩，使你在夢中，感覺到這件事將來結果會怎麼樣。但是你不能說，要是說出來，可能要受到護法神的責備。因爲你不是證得的，而是地藏菩薩加持你，稱聖號受加持的。你心裡生出這麼一念之明，自己又會遮蓋住這個明。所以得到的往往不許說，這樣你的心才會得到。繼續求，就能救拔你的苦，給你智慧，使你明瞭一切。

「與怖者爲城，如明月示道，生善根如地，破惑如金剛。」

「與怖者爲城」，恐怖是形容詞，現在沒有城，城都毀了。現在的戰爭沒有前後方的差別，修再高的城牆也擋不住了，飛彈是從空中來的，知道嗎？

飛機從天上掉下來的。這裡說的「城」不同，我們的心有座城，我們的心城是什麼樣子？假使念地藏聖號，地藏菩薩就做出一座城，使你無所畏懼，沒有恐怖感，就像有城牆保護一樣。地藏菩薩，就像明月，示給你道路；這是重頌長行。前面說過，使你生起的善根不動搖，像大地那樣子，因爲我們做善事沒有根，這回做了，下回可能不做，做一做也可能後悔。有這種事嗎？有，還很多。有的道友，勇猛善心一發，捨宅爲寺，把他家裡捨了，全作了寺院。以後自己連住處都沒有了，連飯吃都沒有了，他就後悔了，想那時候該留一點兒。那樣子就前功盡棄。有沒有功德呢？有是有，解脫還是不行。有沒有反悔？有反悔。《十輪經》專門講這個問題。

如果我們布施給三寶，後來親自看見這位和尙作壞事，你就很懊惱；想起那時候怎麼布施這麼樣一位和尙，這樣一想功德就沒有了！不管他如何，你供養的是三寶，他代表三寶。釋迦牟尼佛跟地藏菩薩，專談這一個問題。你供養了，因緣成熟了，你所做的一切事過去了，過去就算了，不要再把它拾回來，過去已經過去了，功德已經成就了。跟你的修行一樣，到了第一步，第一步成就了，你就把它揚捨，必須再做第二步。你要是緊緊抓著第一步不放，第二步就進不去；必須捨了才能進入第二步，第二步成就了，第二步也丟了，就進入第三步。一直到你究竟成就了，一切都具足，千萬莫後悔。

凡是你投入的東西不要後悔，功德已經成就了。對方怎麼樣，都跟你沒有關係。你做的是供養三寶，供養這間廟。我剛剛才供養，就發生戰爭，一個炮彈給炸毀了。你心裡懊惱說：「我剛才供養的怎麼就毀了？」剛供養的因緣是成熟了，功德具足了。你供養的時候，供養已經成就了，天上的宮殿也給你修好了，是炸不毀的，只是你看不見而已。所以不要再去回顧，因為你已經向前進了，具足了。

你要是生到夜摩天，絕不會留戀四天王忉利天，因為夜摩天比四天王忉利天開闊得很，他的功德、莊嚴就不同。可是如果你生了極樂世界，仍要想著娑婆世界，這個跟那個不同，因為你要回來度化眾生。因為這兒跟你有緣的人還很多，他們還沒有明白。等你明白了，再回來，娑婆世界已經不是娑婆世界，就跟極樂世界一樣。要看什麼人去看，地藏菩薩到地獄是不是看見那樣的地獄景象呢？不是，他會把它度了。所以說：「生善根如地，破惑如金剛。」一切迷惑是由金剛智慧而來的，一破一照，就沒有了，化解了。有智慧的光明一來，黑暗還會存在嗎？如果把電燈關了，我們的屋子就是黑暗的，電燈一打開，黑暗就破除了，涵義就是這樣。

「能施解脫寶，如水漂眾惑，煩惱熱爲蓋，愈疾如良醫。」

能施就是能布施，能布施就是這個人非常的解脫，看得破，放得下的意思。解脫很不容易，因爲金錢是資生的工具，在智者看來，他用這個來利益眾生，必須是解脫的人，才肯布施。六度萬行，布施爲首，布施是捨，要從心上捨，不要只注重在物質上，能布施才能解脫。最難捨的是自己的身體，最寶貴的也是自己的身體。現在要是有三個人，他向我來要求布施，或者要眼睛，或者要心臟，我現在不能給他們，因爲我還沒有具足這個捨心，也沒有達到這種道力，所以解脫不了。要是大菩薩，你求什麼，他都捨給你，連自己的身體都捨，何況是國城妻子？〈普賢行願品〉就經常講到，像那些寶物，你都能施捨給一切衆生，這是解脫。

我們的惑業，就像水上漂的一樣，不要認爲是眞實的。很多人執著：「我的業障重呀！」經常掛在嘴邊上，這樣是修不成的，或者什麼事沒有得到，或者受到什麼災難，第一個想到就是自己的業障很重！業障就是你的惑業，起惑造業，就像水上浮漂似的，不是眞實的，不要把它看成眞實的。你要是懺悔了，業障就消失了。

別認爲自己的業障還很重，如果儘想著自己的惑業還很重，那麼就一直很重，壓著你，就永遠解脫不了。布施也好，持戒也好，總想著自己的業障重：「唉！這件事我怎能做得到，我的業障很重。」一句業障重，就成了掩飾的理由，這是不可以的。業障本來是沒有根的，惑業一起生，你要念地藏菩薩聖號，念到眞誠，其他的法門都沒有修，就是持名。你也沒有念《十輪經》，也沒有念《占察經》，就念一個聖號，都可以的，但必須念到至心。

煩惱是熱惱，有幾種熱惱？煩惱生憎恨心，或者思想想不通睡不著覺，愈睡愈失眠，愈失眠愈翻身，心裡煩躁得不得了，都是熱惱。凡是煩惱，就是熱的，像蓋上一條棉被似的。蓋有五蓋十纏，有煩惱蓋，蓋住你。要是幢旛寶蓋，佛的寶蓋，那是聖境。這個蓋是煩惱，煩惱熱的，把你蓋到裡頭，你的氣出不來，透不過來，解脫不了。地藏菩薩除煩惱，就像除去熱惱一樣的，把你的蓋給揭掉了。你有病了，地藏菩薩就像一位很好的醫生，一帖藥服下去，你的病就沒有了。

「一日稱地藏，功德大名聞，勝俱胝劫中，稱餘智者德。能解諸眾生，一切煩惱縛，至健行定等，諸定之彼岸。十二緣清淨，諸智如虛空，破無邊佛土，諸有情暗聚。」

你一日稱地藏的名號，就具足了。你念一聲的時候，一聲具足地藏菩薩聖號，念十聲你也具足十聲的地藏功德。如果誠心這樣念，只念一天的地藏名號，勝過一劫當中稱其他的有德者，這個包括稱其他大菩薩的名號。

「十二緣清淨」，十二因緣屬於因緣法，無明緣行，行緣名色，名色又緣六入，六入緣觸，觸緣愛，愛緣取取緣有，這是十二因緣，就這麼輪轉下去。只要是念地藏菩薩聖號，跟地藏菩薩學，十二因緣就清淨了。我們這些業惑，就是因爲起惑造業，業就把你繫縛住，繫縛住就受苦。現在不造業，不起惑，業就繫縛不住你，自己就能作得主的。不但自己解脫，而且能夠覺到一切衆生的煩惱覆。自己聞到法，還要向別人說。像我們的道友，介紹很多親友，使他們信佛聞法，這就是幫助衆生解脫。

「健行定」，是一百零八定當中一種定的名詞，有「健行定」，「健德定」……，這是屬於定的名詞，有一個定都可以到彼岸。但是九次第定，六欲天定，就不成了，這種定是聖定。聖定，我們在後面的經中會講，就是依「數、隨、止、觀、轉、淨」這六法。在天台宗是「數、隨、止、觀、還、淨」，有還原返淨的意思。六妙門講的是淺的，《十輪經》講的是深的。我們是淺的深的都講一講。

這部經之所以長，就是因爲有好多修行的方法。因爲是修行的方法，我們必須得照這樣做，學會了就可以解決問題。解決什麼問題呢？我們日常生活當中，每天都碰見好多問題，心裡觀照不同，你的認識與觀感就不同。你必須會做，必須得如是觀，怎麼解決這個問題。像地藏菩薩這樣的有智慧，我們還達不到。

「諸智如虛空」，可以是「虛空即諸智」，也可以反過來說。虛空的空，我們把它比喻為般若。在佛經上，只要一講空義，就拿虛空來比擬。其實這不是虛空，虛空裡頭能容納一切，你有智慧，是把這些惑都破除了，並不是把這些惑、這些物質消滅了。如果花瓶是空的，我們並非把花瓶砸爛了把它丟掉了，才是空的，並不是這樣的，而是當體知道它是空的，因緣和合的。這些花當初不是同一株花生長的，而是插花者，供花的人把它們插在一起的。至於這一朵花，它有它的水份，有它的物質，都是因緣和合的，沒有一法是真的。因緣和合了就生，因緣別離了就滅。緣生的時候，就承當。看這一盆花就承當，緣滅的時候，這花都滅了，都謝了，就放下，沒有了，花都丟了。不要再眷戀捨不得，就是這樣。

家庭也如是，父母妻子，有因緣聚到一起，大家就這麼過。我說長一點的時間是一百年，到那時候也都要散的，散了就放下。不要還緊緊執著，這輩子放不下，又執著來世；來世又放不下，所以不能解脫。就是因爲這樣才不能解脫。不知道諸智像虛空一樣。

「破無邊佛土，諸有情暗聚。」主要是無邊佛土中的一切衆生，黑暗聚集在一齊。這個暗聚就是業。業太多，煩惱，貪、瞋、癡、慢、疑、身見、邊見、邪見、見取見、戒禁取見，這十結使結在一起，讓你破不出去。這十個結所生的業可多了，無窮無盡。貪，貪什麼都叫貪。對於佛法，你要是眞正能入進去，般若智一照，色受想行識一切都是空的。凡是有形有相，語言、文字都是假的，都是空的。

但是我們沒有達到這一步的時候，還得加上語言。明瞭文字之後，才去破。當我們還沒有證到那個境界，不能離開家庭，要是不要家庭，不管小孩子，就去聽經，這可不行，你這樣子去聽經是得不到利益的。人在這兒，心還惦著那兒，心不在焉。你該做什麼，就去做什麼。

而「世法諸法味，世間常相住。」這個道理一定要懂。所以，你懂得諸智如虛空，懂得這個道理，才能破除無邊佛土有情的黑暗聚（聚是聚集義），才能消除因緣所生的一切業。地藏菩薩不會在那個佛土當中，他是無窮無盡的。

「隨諸土入定，四靜慮等流，普令諸有情，入定除惑熱。」

「隨諸土入定，四靜慮等流。」靜慮就是思慮的意思，定的意思。等流是平等，同時進入的。苦、集、滅、道四諦法，四法本身就是定；諦就是如理，能令一切有情，入了定，把這些惑、熱惱、煩惱都除掉了，不只是現生的。

「衆生宿惡業，刀兵病飢饉，隨所在惱害，皆能令解脫。」

因爲衆生的業感，感招了風災、水災、火災，那是大三災。現在的刀兵、水火、飢饉是小三災，因爲衆生的業感，現在這種災難，特別的多。往後會越多，這僅僅是開始。我活了八十多歲，打從記事那天起，就感覺這個世界沒有好日子。東北那時候土匪跟軍閥打，完了，南北戰爭打。後來又是日本人來打。大家回想一下子，哪一天安定過？這只是刀兵劫。

病，誰沒有害過！有很多病是治不好的。飢饉瘟疫，有的地方害了，他知道，有的地方沒害，他不知道。像我到了西藏，在六、七月的時候，我跟西藏人講，現在西藏有糌粑吃，河南什麼吃的都沒有了，都讓蝗蟲吃了，他不相信。他說：「西藏從來沒有蝗蟲，蝗蟲怎麼能生得起？」在西藏，他什麼病都沒有，可是一到了漢地來，那病一發作，就治不了。他不適合漢地的氣候，那種細菌一生長，他就死了；但是在西藏地區沒有事，他一離開西藏地區，到了漢地，氣候一熱，水土不服，就不行了。這種的疾病、刀兵、飢饉，每一種都包括無量的惱害。你一念地藏菩薩聖號，一求地藏菩藏皆令得解脫。這是佛讚歎地藏菩薩，功德究竟有好大，你有什麼災難，一求就好了。

「眾生五趣身，諸苦所逼切，歸敬地藏者，有苦悉皆除。」

「衆生五趣身，諸苦所逼切。」原本是六趣、六道，這裡是說五趣，少說一個。我們這個身體，在你生命盡了，趣向地獄、餓鬼、畜生、天、人。阿修羅道，并入五趣當中，有人修羅，有天修羅，有鬼修羅。六道，有時候只說五趣，也就是把阿修羅道并到五趣裡頭，他是非天非人。凡是五趣的衆生，都會受到那些苦難的逼迫。如果歸敬地藏菩薩，「有苦悉皆除」，所有苦難都能除掉。

「衆生乘苦輪，展轉相違害，歸敬地藏者，皆住忍慈心。」

我們乘的這個輪不是好輪，而是苦輪，互相的違害，展轉違害。如果歸依地藏菩薩，能夠彼此不傷害，我也不傷害你，你也不傷害我，都能有大慈悲心，互相幫助。以前的賢者，想的很好，說是民有民治民享，可是誰做？那樣就不相違害了嗎？貧富同均，大家共享快樂，結果是你們幾個人苦一點，我樂一點，多數情形是這樣，哪會想到別人？都是想到自己，都是互相的違害。越是這麼相違害，苦越深重，永遠不會停息的。歸敬地藏菩薩之後，他心裡的熱惱就平息了，生起一種慈心。

「十二緣所怖，追求苦所依，歸敬地藏者，皆安住無畏。」

我們前面講的十二因緣法，無論是過去世的、未來世的，總的來說，反正是你心裡頭一動，起業了，這個叫業相。這個業相不會停止的，它會轉變的，這個轉變叫轉相，它就在自心的相境界。業轉相三相，完了，就執取相續。執著名字，完了起惑造業。所以這個苦輪是互相的迫害，這是可怖畏的，所以不要起業。不造業就不起惑，也就沒有恐怖了。我們之所以會造業，就是因爲有這個身體。身體要吃要穿，同時也要求舒服；每個人都要給自己找舒服，怎麼舒服怎麼做，不管別人舒服不舒服，你幫助我就行了。人人都是這樣打算，互相的爭奪；越追求，苦就離你越近。你本來是追求快樂的，但是越追求，苦越多。要想離苦，就要修法。釋迦牟尼佛告訴我們這樣一個法門，念地藏菩薩就好了，你就無所畏懼了。

「若樂修諸福，正念戒聞慧，歸敬地藏者，所求皆滿足。」

你求福德、求智慧，要產生正念。念什麼呢？念戒、念法。念法就是聞法，聞法就生出智慧，也就是念慧。凡是歸敬地藏菩薩的，你所求這些戒定慧都能滿足，使你離苦得樂。

「樂一一功德，工巧藥種子，歸敬地藏者，所求皆滿足。」

你喜歡作功德，或者願意當醫生、當科學家，願意教工巧技術，可是沒有這種智慧做不來，就求地藏菩薩加持你，給你智慧，可以發明創造。菩薩想利益眾生的時候，必須懂得工巧明、醫方明、內明、外明、因明，這叫五明菩薩。修五明菩薩，那是世間的藝術，你都得會，而且用佛教的大慈悲心來學習。歸敬地藏菩薩，就能有智慧，一學就會。

「求諸穀藥田，男女衣僕使，歸敬地藏者，所求皆滿足。」

這一切都是現在我們所要求的，像種田的使穀物生長好，種藥田的使藥物生長得好。入山採藥，像靈芝、人參，這些稀有的尊貴藥材都能得到。希望有人幫助你，或者求衣服、找個好佣人，僕使者就是佣人。你開一間公司，找幾個好的助手，好的職工，這都很不容易的。哪一個職工不想偷你，不想整你，不想害你？只要歸敬地藏菩薩，所求的都能滿足。

「衆德具相應，能任持大地，因茲諸穀藥，潤澤而細軟。」

爲什麼呢？因爲地藏菩薩具足一切德，他是任持大地，這些東西都是從大地生長出來。因爲滋潤這些穀物、這些藥材，生長起來就非常的良好。

「諸煩惱所覆，樂行十惡業，歸敬地藏者，煩惱惡皆除。」

你被這些煩惱蓋覆住了。伏覆就是蓋覆你，你不想做好事，心裡盡想作惡事。十惡業，身體要行殺盜淫，口裡頭就是妄言、綺語、惡口、兩舌；不罵人，不會說話。必須罵人，他才說話。我在四川的時候，感覺他們是不罵人不說話的，並不是說眞罵你，兒子跟老漢，都還說：「你這個龜兒子」，他成了口頭語。我聽得很託異，他說：「這是我的習慣，沒有什麼。」他不說龜兒子，就不會說話。開口就龜兒子，好像很習慣，可是我們聽起來很刺耳，不論男男女女都這麼說。

還有東北，我最初當小孩兒時，一個地區叫拉哈族，大家可能沒有聽過。他們的語言簡單到了極點，青年人稱呼老年人，就叫老伙計，老年人稱呼青年人就叫小伙計。就叫伙計那兩個字，不過不是我們發伙計的音。我問他們的涵義，他無法解釋。兒子稱呼媽媽跟爸爸通稱老伙計，爸爸、媽媽稱呼兒子通稱小伙計。語言那麼的貧乏，想多說幾句話，都不懂。你要是變成了這種人，說苦不苦呢？跟牛馬有什麼差別呢？

所以經上說與畜生無異，與木石無異。不明白佛法的人跟木頭、石頭差不多，跟畜生、牛馬也差不多。

「現作種種身，爲衆生說法，具足施功德，悲愍諸衆生。」

前面說地藏菩薩現了種種身，大家也看見了，總共現了四十二種化身。

「假使百劫中，讚說其功德，猶尚不能盡，故皆當供養。」

最後，釋迦牟尼佛跟與會大眾說他的功德，說一百劫也讚歎不完。「猶尚不能盡，故皆當供養。」大家應當都供養地藏菩薩，稱誦地藏菩薩聖號。

我講了好多座了才講完「序分」，還沒有說到正題。

「序分」的涵義，主要是讓大家信地藏菩薩能夠拔除我們的苦難，給我們的快樂，讓我們相信。地藏菩薩也問佛很多問題，請佛解答。

下次講〈十輪品〉，就是「正宗分」，一共是八品。前面一品是敘述。後頭一品是「流通分」。囑累虛空藏菩薩要把這部經流通，很多人就可以得到利益，讓很多有情眾生得度。不過，虛空藏菩薩就住在空中，一直沒有流通，現在又遇到因緣了，大家可以共同學習。

序品竟

國家圖書館出版品預行編目資料

大乘大集地藏十輪經序品第一冊/夢參老和尚主講；
方廣編輯部整理．--初版．--台中市；
方廣文化，2002--　(民91)　　面：　　公分

ISBN 957-9451-72-9(平裝)
1.方等部

221.35　　91014843

地藏菩薩的止觀法門

大乘大集地藏十輪經【序品 第一冊】

主講：上夢下參老和尚
錄音整理：梁國英、溫哥華地區道友、方廣編輯部
封面設計：大觀創意團隊
出　　版：方廣文化事業有限公司
住　　址：台北市大安區和平東路一段177-2號11樓
電　　話：(02)2392-0003　傳　真：(02)2391-9603
劃撥帳號：17623463　方廣文化事業有限公司
總 經 銷：聯合發行股份有限公司
電　　話：(02)2917-8022　傳　真：(02)2915-6275
出版日期：2023年6月　2版6刷
定　　價：新台幣260元
行政院新聞局出版登記證：局版臺業字第六〇九〇號
網　　址：www.fangoan.com.tw
e-mail: fangoan@ms37.hinet.net

【夢參老和尚的叮嚀】

如有缺頁、破損、倒裝請電：(02)2392-0003

No：D507-1

方廣文化出版品目錄〈一〉

夢參老和尚系列
書　籍

八十華嚴講述

HP01 大乘起信論淺述 (八十華嚴 導讀一)
H208 淺說華嚴大意 (八十華嚴 導讀二)
H209 世主妙嚴品 (第1至3冊)
H210 如來現相品・普賢三昧品 (第4冊)
H211 世界成就品・華藏世界品・毘盧遮那品 (第5冊)
H212 如來名號品・四聖諦品・光明覺品 (第6冊)
H213 菩薩問明品 (第7冊)
H214 淨行品 (第8冊)
H215 賢首品 (第9冊)
H301 升須彌山頂品・須彌頂上偈讚品・十住品 (第10冊)
H302 梵行品・初發心功德品・明法品 (第11冊)
H401 升夜摩天宮品・夜摩宮中偈讚品・十行品・十無盡藏品 (第12冊)

華 嚴

H203 華嚴經淨行品講述
H324 華嚴經梵行品新講 (增訂版)
H205 華嚴經普賢行願品講述
H206 華嚴經疏論導讀
H255 華嚴經普賢行願品大意

天 台

T305A 妙法蓮華經導讀

楞 嚴

LY01 淺說五十種禪定陰魔—《楞嚴經》五十陰魔章
L345 楞嚴經淺釋 (全套三冊)

方廣文化出版品目錄〈二〉

夢參老和尚系列
書 籍

● 地藏三經

地藏經

D506　地藏菩薩本願經講述（全套三冊）
D516A　淺說地藏經大意

占察經

D509　占察善惡業報經講記(附HIPS材質占察輪及修行手冊)
D512　占察善惡業報經新講

大乘大集地藏十輪經 D507（全套六冊）

D507-1　地藏菩薩的止觀法門（序品 第一冊）
D507-2　地藏菩薩的觀呼吸法門（十輪品 第二冊）
D507-3　地藏菩薩的戒律法門（無依行品 第三冊）
D507-4　地藏菩薩的解脫法門（有依行品 第四冊）
D507-5　地藏菩薩的懺悔法門（懺悔品 善業道品 第五冊）
D507-6　地藏菩薩的念佛法門（福田相品 獲益囑累品 第六冊）

● 般 若

B411　般若波羅蜜多心經講述（合輯本）
B406　金剛經
B409　淺說金剛經大意
B412　應無所住：金剛經十四堂課

● 開 示 錄

S902　修行（第一集）
Q905　向佛陀學習（第二集）
Q906　禪・簡單啟示（第三集）
Q907　正念（第四集）
Q908　觀照（第五集）

方廣文化出版品目錄〈三〉

地藏系列	D503	地藏三經（經文版） （地藏菩薩本願經、大乘大集地藏十輪經、占察善惡業報經）
	D511	占察善惡業報經行法（占察拜懺本）（中摺本）
華嚴系列	H201	華嚴十地經論
	H202	十住毘婆沙論
	H207	大方廣佛華嚴經（八十華嚴）（全套八冊）
般若系列	B402	小品般若經
	B403A	大乘理趣六波羅蜜多經
	B404A	能斷金剛經了義疏（附心經頌釋）
	B408	摩訶般若波羅蜜經（中品般若）（全套三冊）
天台系列	T302	摩訶止觀
	T303	無量義經（中摺本）
	T304	觀普賢菩薩行法經（中摺本）
部派論典系列	S901A	阿毘達磨法蘊足論
	Q704	阿毗達磨俱舍論（全套二冊）
	S903	法句經（古譯本）（中摺本）
瑜伽唯識系列	U801	瑜伽師地論（全套四冊）
	U802A	大乘阿毗達磨集論
	B803	成唯識論
	B804A	大乘百法明門論解疏
	B805	攝大乘論暨隨錄
憨山大師系列	HA01	楞嚴經通議（全套二冊）

方廣文化出版品目錄〈四〉

方廣文化出版品目錄〈五〉

夢 參 老 和 尚

再現地藏風采 開啟無盡誓願

地藏菩薩本願經《卷上 卷中 卷下》

《地藏經》是地藏菩薩法門的核心經典，夢參老和尚此次講述的特色，是著重在《地藏經》每一品、每一段的經文中，盡可能開示地藏菩薩的無盡誓願、地藏法門的重重奧義，並列舉古往今來的歷史經驗、發人深省的典故，乃至於夢參老和尚的個人修行體悟，加以說明，務期大眾掌握地藏菩薩法門的精髓，以及具體可行的修持要訣。

NO.D506 地藏菩薩本願經講述
25K平裝(三本) NT:660

淺說五十種禪定陰魔
《楞嚴經》五十陰魔章
夢參老和尚
開悟的楞嚴　初入佛門者不可或缺的導引
學習佛法應克服障礙，本書列舉了五十種修道上的危機，是初入佛門者不可或缺的導引。
淡極始知華更豔的說法境界
公元二〇〇八年三月，夢參老和尚在台弘法進入尾聲之際，因夢境之敦促，生起了開講《楞嚴經》的心願；
面對深緻染的句，老和尚此次開演楞嚴大意，以疏淡的方式凸顯《楞嚴經》的典雅莊嚴，
希冀大家能在楞嚴大法中信仰妙明真體，銷除億劫顛倒想。
淺說五十種禪定陰魔　《楞嚴經》五十陰魔章
夢參老和尚主講
方廣文化出版　25K平裝　定價新台幣320元　ISBN：978 98 078-30-8
廣